GEHÖFT SAUERTEIG-KOCHBUCH

Entdecken Sie die Kunst, zu Hause perfekt knuspriges und aromatisches Sauerteigbrot herzustellen, mit Schritt-für-Schritt-Anleitungen und 100 köstlichen Rezepten

Ute Martin

INHALTSVERZEICHNIS

EINFÜHRUNG

Willkommen in der Welt von GEHÖFT SAUERTEIG-KOCHBUCH! Dieses Kochbuch ist der ultimative Leitfaden für alle, die den rustikalen, handwerklichen Geschmack und die Textur von Sauerteigbrot lieben. Egal, ob Sie ein erfahrener Bäcker oder ein Anfänger sind, in diesem Buch finden Sie alles, was Sie über die Herstellung und das Backen köstlichen Sauerteigbrotes wissen müssen.

Darin finden Sie Dutzende köstliche Rezepte für Sauerteigbrot, Brötchen, Bagels und mehr. Von klassischen Broten bis hin zu kreativen Variationen ist in diesem Kochbuch für jeden etwas dabei. Sie erfahren, wie Sie Ihren eigenen Sauerteig herstellen, wie Sie Ihren Teig kneten und formen und wie Sie das perfekte Aufgehen und Backen erreichen.

Aber dieses Buch ist mehr als nur eine Rezeptsammlung. Es ist eine Feier des bäuerlichen Lebensstils und der Traditionen des handwerklichen Brotbackens. Sie erfahren etwas über die Geschichte des Sauerteigs, die Vorteile der Verwendung natürlicher Hefe und die Freude, die es mit sich bringt, Ihr eigenes Brot von Grund auf zu backen.

Egal, ob Sie Ihre Speisekammer mit köstlichem, gesundem Brot füllen möchten oder einfach nur die Welt des Sauerteigbackens erkunden möchten, GEHÖFT SAUERTEIG-KOCHBUCH ist der ultimative Leitfaden für Sie.

Gehöft, Sauerteig, Handwerklich, Rustikal, Selbstgemacht, Brot, Rezepte, Köstlich, Brote, Bagels, Backen, Vorspeise, Kneten, Form, Aufgehen, Backen, Gehöft, Lebensstil, Traditionen, Natürliche Hefe, Speisekammer, Gesund, Kratzen.

KLASSISCHES SAUERTEIGBROT

1. Karamellisiertes Zwiebelbrot

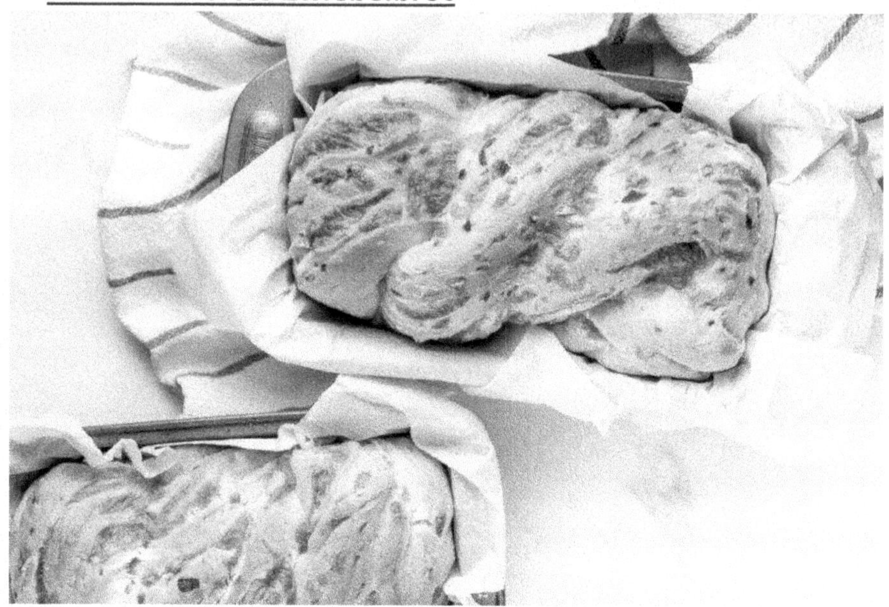

Karamellisierte Zwiebeln
1 T. Olivenöl (bei Bedarf etwas mehr)
½ große Zwiebel, in kleine Stücke gehackt
¼ TL. Kristallzucker
¼ TL. Salz
Brotteig
533 g. ungebleichtes Allzweckmehl
267 g. aktiver Anlasser
267 g. Wasser
13 g. Salz
Karamellisierte Zwiebeln aus dem Rezept oben

Erhitzen Sie das Öl in einer mittelgroßen Pfanne bei mittlerer Hitze. Fügen Sie die Zwiebel hinzu und rühren Sie um, bis die Stücke mit Öl bedeckt sind. Zucker und Salz hinzufügen und unter Rühren kochen, damit die Zwiebelstücke nicht anbrennen, bis die Zwiebeln weich und leicht goldbraun geworden sind (ca. 20 Minuten). Wenn die Zwiebeln trocken zu werden scheinen, können Sie eine kleine Menge Öl hinzufügen, damit sie nicht an der Pfanne kleben bleiben und anbrennen. Wenn Sie fertig sind, geben Sie die karamellisierten Zwiebeln in einen kleinen Behälter und stellen Sie sie in den Kühlschrank, bis sie benötigt werden.
In einer großen Schüssel alle Zutaten außer Salz und karamellisierten Zwiebeln vermischen. Decken Sie die Schüssel mit Plastikfolie ab und lassen Sie den Teig etwa 30 Minuten bei Raumtemperatur ruhen. Streuen Sie das Salz über den Teig und vermischen Sie es erneut gut, um das Salz vollständig einzuarbeiten. Bewahren Sie den Teig im Behälter auf, strecken und falten Sie ihn dreimal, decken Sie die Schüssel mit Plastikfolie ab und lassen Sie den Teig zwischen den einzelnen Sitzungen jeweils 30 Minuten ruhen. Decken Sie den Teig nach dem dritten Dehn- und Faltvorgang ab und lassen Sie ihn 30 Minuten ruhen. Fügen Sie dann die karamellisierten Zwiebeln hinzu und kneten Sie sie vorsichtig, um die Stücke im Teig zu vermischen. Führen Sie im Abstand von 30

Minuten noch 3 weitere Dehn- und Faltübungen durch und decken Sie die Schüssel zwischen den Sitzungen ab.
Halten Sie die Schüssel mit Plastikfolie abgedeckt und lassen Sie den Teig gehen, bis er sich etwa verdoppelt hat, normalerweise 4 bis 8 Stunden oder über Nacht.
Den Teig vorsichtig auf eine bemehlte Arbeitsfläche geben und formen. Mit Frischhaltefolie abdecken und etwa 4 Stunden gehen lassen, bis sich der Teig fast verdoppelt hat.
Schneiden Sie die Oberseite auf. Heizen Sie den Ofen auf 400 bis 450 ° vor und backen Sie ihn 45 bis 50 Minuten lang oder bis er fertig ist.
Ergibt 1 Laib

2. Käse-Jalapeño-Brot

Anlasser
50 g. ungebleichtes Allzweckmehl
50 g. Wasser
15 g. Anlasser
Brotteig
Vorspeise am Vorabend gemacht
360 g. Wasser
500 g. ungebleichtes Allzweckmehl oder eine Kombination aus Vollkorn- und Allzweckmehl
10 g. Salz
50 g. geschnittene Jalapeño-Paprikaschoten (frisch, geröstet oder eingelegt)
100 g. scharfer Cheddar-Käse, gerieben

Die Nacht davor:
Mischen Sie in der großen Rührschüssel, in der Sie den Brotteig zubereiten möchten, die Starterzutaten. Mit Plastikfolie abdecken und den Starter über Nacht bei Zimmertemperatur stehen lassen.
Am nächsten Morgen:
Geben Sie das Wasser in die Schüssel mit der vorbereiteten Vorspeise und verrühren Sie alles. Mehl und Salz verquirlen und zur Vorspeise geben, mit den Händen vermischen und so lange verarbeiten, bis keine trockenen Mehlstückchen mehr übrig sind. (Ich mische gerne etwa die Hälfte der Mehlmischung mit einem großen Löffel unter und füge dann die restliche Mehlmischung hinzu und vermische sie von Hand.) Decken Sie die Schüssel mit Frischhaltefolie ab und lassen Sie den Teig 2 Stunden bei Raumtemperatur ruhen.
Führen Sie im Abstand von jeweils 30 Minuten zwei Durchgänge des Dehnens und Faltens durch und decken Sie die Schüssel ab, wenn der Teig ruht. Nach der zweiten Dehnungs-, Falt- und Ruhephase die Jalapeño-Paprikaschoten und den Käse dazugeben und im Abstand von 30 Minuten noch 3 bis 4 Mal strecken und falten, dabei die Schüssel jedes Mal abdecken. Nach dem letzten Strecken und

Falten die Schüssel abdecken und den Teig 2 bis 3 Stunden gehen lassen.
Den Teig auf eine bemehlte Arbeitsfläche geben und zu einem Kreis oder einer länglichen Form formen. Den Teig außen bemehlen, abdecken und etwa 3 Stunden bei Zimmertemperatur gehen lassen.
Den Backofen auf 450° vorheizen. Wenn Sie einen Dutch Oven oder einen ähnlichen Brotbackofen verwenden, stellen Sie die Auflaufform in den Ofen, um sie ebenfalls vorzuheizen.
Schneiden Sie die Oberseite des Laibs mit einem Rasiermesser oder einem Lahm ab und legen Sie den Laib dann vorsichtig in den vorgeheizten Schmortopf. (Ich verwende den Deckel für meinen Boden und den Schmortopf selbst als Abdeckung, da es viel einfacher ist, den Laib zu positionieren.)
Zugedeckt 30 Minuten backen; Entfernen Sie den Deckel und backen Sie weitere 20 bis 25 Minuten weiter. Wenn Sie einen Backstein oder ein Backblech verwenden, stellen Sie einen Topf mit kochendem Wasser auf einen Rost unter dem Brot im Ofen, um dem Backen Dampf zu verleihen. Nehmen Sie das Brot aus dem Schmortopf und legen Sie es zum Abkühlen auf einen Rost, bevor Sie es in Scheiben schneiden.
Ergibt 1 Laib

3. Cranberry-Pekannuss-Brot

200 g. ungebleichtes Allzweckmehl
200 g. Vollkornmehl
20 g. Pechnuss Stücke
20 g. getrocknete Cranberries
10 g. Salz
200 g. aktiver Anlasser
225 g. Wasser

In einer mittelgroßen Rührschüssel Mehl, Pekannussstücke, getrocknete Preiselbeeren und Salz verrühren. Die restlichen Zutaten hinzufügen, vermischen und den Teig dann etwa 30 Minuten ruhen lassen. Lassen Sie den Teig im Behälter und dehnen und falten Sie ihn etwa sechsmal im Abstand von 30 Minuten. Zuerst neigen die Einschlüsse dazu, herauszufallen, aber drücken Sie sie beim Dehnen und Falten vorsichtig mit den Fingern in den Teig. Während Sie die Dehn- und Faltsitzungen fortsetzen, werden die Pekannüsse und Preiselbeeren gleichmäßig eingearbeitet. Decken Sie die Schüssel ab und lassen Sie den Teig gehen, bis er sich etwa verdoppelt hat, normalerweise 4 bis 8 Stunden oder über Nacht.

Den Teig vorsichtig auf eine bemehlte Arbeitsfläche geben und formen. Abdecken und etwa 4 Stunden gehen lassen oder bis es schön aufgegangen ist.

Schneiden Sie die Oberseite auf. Heizen Sie den Ofen auf 400 bis 450 ° vor und backen Sie ihn 40 bis 50 Minuten lang oder bis er fertig ist. Auf einem Kuchengitter abkühlen lassen.

Ergibt 1 Laib

4. Fifty/Fifty Weiß- und Weizenbrot

225 g. Wasser
200 g. aktiver Anlasser
200 g. ungebleichtes Allzweckmehl
200 g. Vollkornmehl
10 g. Salz

In einer großen Schüssel alle Zutaten außer dem Salz vermischen. Decken Sie die Schüssel mit Plastikfolie ab und lassen Sie den Teig etwa 30 Minuten bei Raumtemperatur ruhen. Streuen Sie das Salz über den Teig und vermischen Sie ihn erneut gut, um das Salz vollständig zu vermischen. Lassen Sie den Teig im Behälter und dehnen und falten Sie ihn etwa sechsmal im Abstand von 30 Minuten. Decken Sie die Schüssel jedes Mal mit Plastikfolie ab. Halten Sie die Schüssel mit Plastikfolie abgedeckt und lassen Sie den Teig gehen, bis er sich etwa verdoppelt hat, normalerweise 4 bis 8 Stunden oder über Nacht.
Den Teig vorsichtig auf eine bemehlte Arbeitsfläche geben und formen. Mit Plastikfolie abdecken und etwa 4 Stunden gehen lassen, bis sich der Teig etwa verdoppelt hat.
Schneiden Sie die Oberseite auf. Heizen Sie den Ofen auf 400 bis 450 ° vor und backen Sie ihn 45 bis 55 Minuten lang oder bis er fertig ist. Auf einem Kuchengitter abkühlen lassen.
Ergibt 1 Laib

5. Gruyère-Käsebrot

300 g. Wasser
267 g. aktiver Anlasser
267 g. ungebleichtes Allzweckmehl
267 g. Vollkornmehl
13 g. Salz
50 g. Gruyère-Käse, gerieben

In einer großen Schüssel alle Zutaten außer Salz und Gruyère-Käse vermischen. Decken Sie die Schüssel mit Plastikfolie ab und lassen Sie den Teig etwa 30 Minuten bei Raumtemperatur ruhen. Streuen Sie das Salz über den Teig und vermischen Sie ihn erneut gut, um das Salz vollständig zu vermischen. Den Teig abdecken und 30 Minuten ruhen lassen.
Lassen Sie den Teig im Behälter und dehnen und falten Sie ihn alle 30 Minuten. Wiederholen Sie dies dreimal und decken Sie die Schüssel nach jeder Sitzung mit Plastikfolie ab.
Fügen Sie den Gruyère-Käse hinzu und vermischen Sie ihn möglichst gut mit dem Teig. Dehnen und falten Sie den Teig noch dreimal (insgesamt also sechs Mal) und decken Sie die Schüssel nach jedem Vorgang mit Plastikfolie ab.
Halten Sie die Schüssel mit Plastikfolie abgedeckt und lassen Sie den Teig gehen, bis er sich etwa verdoppelt hat, normalerweise 4 bis 8 Stunden oder über Nacht.
Den Teig vorsichtig auf eine bemehlte Arbeitsfläche geben und formen. Decken Sie den Laib mit Frischhaltefolie ab und lassen Sie ihn 2 bis 4 Stunden lang gehen, oder bis er mindestens um die Hälfte aufgegangen ist.
Schneiden Sie die Oberseite auf. Heizen Sie den Ofen auf 400 bis 450 ° vor und backen Sie ihn 45 bis 55 Minuten lang oder bis er fertig ist. Auf einem Kuchengitter abkühlen lassen.
Ergibt 1 Laib

6. Italienisches Kräuterbrot

240 g. aktiver Anlasser
15 g. Butter
240 g. Milch
1 Teelöffel. Salz
1 Teelöffel. Kristallzucker
½ TL. getrockneter Thymian
½ TL. getrockneter Oregano
½ TL. getrocknetes Basilikum
490 g. ungebleichtes Allzweckmehl

Die Nacht davor:
Den Starter in eine große Rührschüssel geben. Die Butter in einer mikrowellengeeigneten Schüssel schmelzen, die groß genug ist, um auch die Milch aufzunehmen. in der Mikrowelle erhitzen, bis die Butter vollständig geschmolzen ist. Gießen Sie die Milch in die Schüssel mit der geschmolzenen Butter und fügen Sie dann Salz, Zucker, Thymian, Oregano und Basilikum hinzu. Gut mischen. Stellen Sie sicher, dass die Milchmischung nicht heißer als 100 °C ist. Wenn es abgekühlt ist, gießen Sie es in die Schüssel mit dem Starter und mischen Sie es erneut gut. Geben Sie jeweils eine Tasse Mehl hinzu und vermischen Sie es nach jeder Zugabe. Wenn der Teig zum Mischen mit der Hand zu steif wird, geben Sie ihn auf eine bemehlte Arbeitsfläche und kneten Sie ihn, indem Sie nach und nach Mehl hinzufügen, bis der Teig glatt und seidig ist. Dies dauert 8 oder mehr Minuten. Geben Sie den Teig zurück in eine saubere Rührschüssel. Decken Sie die Schüssel mit Plastikfolie ab und lassen Sie sie über Nacht bei Raumtemperatur gehen. Am nächsten Morgen,
Am nächsten Morgen:
Den Teig vorsichtig auf eine bemehlte Arbeitsfläche stürzen und 30 Minuten ruhen lassen. Formen Sie den Teig in die gewünschte Form. Legen Sie den Laib entweder auf ein mit Backpapier ausgelegtes Backblech, auf eine Silikon-Backmatte oder in eine gefettete Kastenform. Lassen Sie es 2 bis 4 Stunden lang bei Zimmertemperatur gehen oder bis sich die Größe des Laibs

verdoppelt hat (wenn Sie eine Kastenform verwenden, lassen Sie ihn bis zum oberen Rand der Kastenform aufgehen).
Sie können das Brot auf zwei Arten backen:
•Stellen Sie die Pfanne in einen kühlen Ofen und drehen Sie den Ofen dann auf 375°. 70 Minuten backen.
•Heizen Sie den Ofen auf 450° vor und backen Sie das Brot 40 bis 45 Minuten lang.
Nehmen Sie das Brot aus dem Ofen (oder der Kastenform) und legen Sie es zum Abkühlen auf einen Rost.
Ergibt 1 Laib

7. Matthews Grießbrot

300 g. ungebleichtes Allzweckmehl
225 g. Wasser
200 g. aktiver Anlasser
100 g. Grießmehl
10 g. Salz

In einer großen Schüssel alle Zutaten außer dem Salz vermischen. Decken Sie die Schüssel mit Plastikfolie ab und lassen Sie den Teig etwa 30 Minuten bei Raumtemperatur ruhen. Streuen Sie das Salz über den Teig und vermischen Sie ihn erneut gut, um das Salz vollständig zu vermischen. Lassen Sie den Teig im Behälter und dehnen und falten Sie ihn alle 30 Minuten etwa fünf- oder sechsmal, wobei Sie die Schüssel jedes Mal mit Plastikfolie abdecken. Decken Sie die Schüssel ab und lassen Sie den Teig gehen, bis er sich etwa verdoppelt hat, normalerweise 4 bis 8 Stunden oder über Nacht.

Den Teig vorsichtig auf eine bemehlte Arbeitsfläche geben und formen. Decken Sie den Laib mit Frischhaltefolie ab und lassen Sie ihn 2 bis 4 Stunden lang bei Zimmertemperatur gehen, bis sich der Teig etwa verdoppelt hat.

Schneiden Sie die Oberseite auf. Heizen Sie den Ofen auf 400 bis 450 ° vor und backen Sie ihn 40 bis 45 Minuten lang oder bis er fertig ist. Auf einem Kuchengitter abkühlen lassen.

Ergibt 1 Laib

8. Haferflockenbrot

3 Tassen Allzweckmehl
2 Tassen Aktivstarter
1½ Tassen altmodische Haferflocken
1 bis 1½ Tassen Milch, auf etwa 90° erwärmt
3 T. Schatz
2 EL Olivenöl
1½ TL. Salz

In einer großen Rührschüssel alle Zutaten vermischen und verrühren, bis ein Teig entsteht. Decken Sie die Schüssel ab und lassen Sie den Teig 30 Minuten ruhen.

Kneten Sie den Teig etwa 6 Minuten lang. Verwenden Sie dabei Mehl, damit der Teig nicht klebt, aber versuchen Sie, so wenig wie möglich zu verwenden, damit der Teig weich bleibt (ich knete normalerweise in der Schüssel). Den Teig in eine weitere große, gefettete Rührschüssel füllen. Den Teig abdecken und 2 Stunden bei Zimmertemperatur gehen lassen.

Den Teig formen und in eine große, gefettete Kastenform geben. Abdecken und weitere 2 bis 4 Stunden bei Zimmertemperatur gehen lassen.

Heizen Sie den Ofen auf 375° vor und backen Sie ihn 50 bis 55 Minuten lang oder bis er fertig ist. Nehmen Sie das Brot heraus und lassen Sie es vor dem Schneiden 15 bis 20 Minuten auf einem Kuchengitter abkühlen.

Ergibt 1 Laib

9. Geröstetes Knoblauchbrot

800 g. ungebleichtes Allzweckmehl
20 g. Salz
3 bis 4 geröstete Knoblauchzehen, quer halbiert oder drittelt und dann in dünne Scheiben geschnitten
400 g. aktiver Anlasser
400 g. Wasser
In einer mittelgroßen Rührschüssel Mehl, Salz und geröstete Knoblauchstücke verrühren. Fügen Sie die restlichen Zutaten hinzu, vermischen Sie alles, decken Sie die Schüssel mit Plastikfolie ab und lassen Sie den Teig dann etwa 30 Minuten lang ruhen. Lassen Sie den Teig im Behälter und dehnen und falten Sie ihn alle 30 Minuten etwa sechsmal, wobei Sie die Schüssel jedes Mal mit Plastikfolie abdecken. Halten Sie die Schüssel abgedeckt und lassen Sie den Teig gehen, bis er sich etwa verdoppelt hat, normalerweise 4 bis 8 Stunden oder über Nacht.
Den Teig vorsichtig auf eine bemehlte Arbeitsfläche geben und formen. Decken Sie den Laib mit Frischhaltefolie ab und lassen Sie ihn etwa 4 Stunden lang gehen, bis sich sein Volumen etwa verdoppelt hat.
Schneiden Sie die Oberseite auf. Heizen Sie den Ofen auf 400 bis 450 ° vor und backen Sie ihn 40 bis 50 Minuten lang oder bis er fertig ist. Auf einem Kuchengitter abkühlen lassen.
Ergibt 1 großes oder 2 kleine Brote

10. Rosmarinbrot

400 g. ungebleichtes Allzweckmehl
200 g. aktiver Anlasser
200 g. Wasser
20 g. frischer Rosmarin, fein gehackt oder geschnitten
10 g. Salz
In einer großen Schüssel alle Zutaten außer Rosmarin und Salz vermischen. Decken Sie die Schüssel mit Plastikfolie ab und lassen Sie den Teig etwa 30 Minuten bei Raumtemperatur ruhen. Streuen Sie Rosmarin und Salz über den Teig und vermischen Sie ihn erneut gut, um die hinzugefügten Zutaten vollständig zu vermischen. Lassen Sie den Teig im Behälter und dehnen und falten Sie ihn alle 30 Minuten etwa sechsmal, wobei Sie die Schüssel jedes Mal mit Plastikfolie abdecken. Halten Sie die Schüssel mit Plastikfolie abgedeckt und lassen Sie den Teig gehen, bis er sich fast verdoppelt hat, normalerweise zwischen 4 und 8 Stunden oder über Nacht.
Den Teig vorsichtig auf eine bemehlte Arbeitsfläche geben und formen. Mit Plastikfolie abdecken und etwa 4 Stunden lang gehen lassen oder bis alles gut aufgegangen ist.
Schneiden Sie die Oberseite auf. Heizen Sie den Ofen auf 400 bis 450 ° vor und backen Sie ihn 40 bis 50 Minuten lang oder bis er fertig ist. Auf einem Kuchengitter abkühlen lassen.
Ergibt 1 Laib

11. Weiches Sandwichbrot

28 g. Butter
240 g. Milch, fast zum Sieden erhitzt
224 g. aktiver Anlasser
12 g. Kristallzucker
9 g. Salz
350 g. ungebleichtes Allzweckmehl
1 Ei, geschlagen
Geben Sie die Butter in die heiße Milch und rühren Sie um, bis die Butter schmilzt. Kühlen Sie die Milchmischung auf 100° ab.

In einer großen Rührschüssel die Milchmischung, den Sauerteig, den Zucker und das Salz verrühren. Geben Sie nach und nach das Mehl hinzu, bis sich der Teig nicht mehr mit der Hand vermischen lässt. Den Teig auf eine bemehlte Arbeitsfläche geben und das restliche Mehl unterkneten. Einige Minuten lang weiterkneten und dabei so wenig Mehl wie möglich verwenden. Der Teig sollte weich und leicht klebrig sein.
Formen Sie den Teig zu einer runden, glatten Kugel und legen Sie ihn in eine große, geölte oder gefettete Schüssel. Drehen Sie den Teig dabei so, dass alle Oberflächen bedeckt sind. Decken Sie die Schüssel mit Plastikfolie ab und lassen Sie sie 30 Minuten bei Raumtemperatur ruhen.
Den Teig insgesamt 2 Mal im Abstand von 30 Minuten dehnen und falten, dabei die Schüssel zwischendurch abdecken. Lassen Sie den abgedeckten Teig 1 Stunde lang bei Raumtemperatur ruhen. Anschließend dreimal im Abstand von 1 Stunde dehnen und falten, dabei die Schüssel zwischendurch abgedeckt halten.
Mittlerweile sollte der Teig sehr locker und locker sein, andernfalls den Teig abdecken und noch ein bis zwei Stunden ruhen lassen.
Fetten Sie eine Kastenform ein und stellen Sie sie beiseite, während Sie den Teig so formen, dass er in die Kastenform passt. Achten Sie dabei darauf, den Teig vorsichtig zu formen, damit er leicht und luftig bleibt. Legen Sie den Teig in die vorbereitete Kastenform, decken Sie die Form mit einem feuchten Küchentuch oder einer geölten Plastikfolie ab (damit der Teig nicht klebt) und stellen Sie

ihn auf die Arbeitsfläche, bis der Teig bis zum oberen Rand der Form gestiegen ist hat sich in der Menge etwa verdoppelt. (Dies sollte zwischen 1 und 2 Stunden dauern.)
Den Backofen auf 350° vorheizen. Schneiden Sie die Mitte des Laibs ein und backen Sie ihn 30 bis 40 Minuten lang oder bis das Brot fertig ist und die Oberseite leicht goldbraun ist.
Lassen Sie das Brot 5 Minuten lang in der Kastenform ruhen, bevor Sie es aus der Form nehmen und auf ein Gitter zum Abkühlen legen, bis es vollständig abgekühlt ist.
Ergibt 1 Laib

12. Treberbrot

225 g. Wasser
200 g. aktiver Anlasser
200 g. ungebleichtes Allzweckmehl
200 g. Vollkornmehl
⅓ bis ½ Tasse Biertreber (siehe Hinweis)
10 g. Salz
Hinweis: Treber ist das, was beim Bierbrauen übrig bleibt. Treber können Sie ganz einfach erhalten, indem Sie einen Freund, der zu Hause Bier braut, um den übriggebliebenen Treber bitten, oder Sie rufen eine örtliche Brauerei an – sie wird Ihnen wahrscheinlich gerne so viel geben oder verkaufen, wie Sie möchten. Ich bekomme meinen Treber von einer örtlichen Brauerei, und wenn ich zu Hause bin, messe ich das Getreide in ½-Tassen-Portionen ab, entferne so viel Luft wie möglich und friere sie in geeigneten Behältern ein. Auftauen und nach Bedarf verwenden.
In einer großen Schüssel alle Zutaten außer Treber und Salz vermischen. Decken Sie die Schüssel mit Plastikfolie ab und lassen Sie den Teig etwa 30 Minuten bei Raumtemperatur ruhen. Den Treber und das Salz über den Teig streuen und nochmals gut vermischen, damit das Salz vollständig eingearbeitet ist. Lassen Sie den Teig ein zweites Mal ruhen, etwa 45 Minuten. Lassen Sie den Teig im Behälter und dehnen und falten Sie ihn etwa sechsmal im Abstand von 30 Minuten. Decken Sie die Schüssel jedes Mal mit Plastikfolie ab. Halten Sie die Schüssel mit Plastikfolie abgedeckt und lassen Sie den Teig gehen, bis er sich etwa verdoppelt hat, normalerweise 4 bis 8 Stunden oder über Nacht.
Den Teig vorsichtig auf eine bemehlte Arbeitsfläche geben und formen. Mit Plastikfolie abdecken und etwa 4 Stunden gehen lassen, bis sich der Teig etwa verdoppelt hat.
Schneiden Sie die Oberseite auf. Heizen Sie den Ofen auf 400 bis 450 ° vor und backen Sie ihn 45 bis 55 Minuten lang oder bis er fertig ist. Auf einem Kuchengitter abkühlen lassen.
Ergibt 1 Laib

13. Brot mit sonnengetrockneten Tomaten und Basilikum

225 g. Wasser
200 g. aktiver Anlasser
200 g. ungebleichtes Allzweckmehl
200 g. Vollkornmehl
10 g. Salz
30 g. sonnengetrocknete Tomaten, in kleine Stücke geschnitten (nicht größer als ein Schokoladenstückchen)
1 gehäufter TL. getrocknete Basilikumblätter (kein gemahlenes Basilikum verwenden)

In einer großen Schüssel alle Zutaten außer den sonnengetrockneten Tomaten und dem Basilikum vermischen. Lassen Sie den Teig etwa 30 Minuten ruhen. Lassen Sie den Teig im Behälter, dehnen und falten Sie den Teig, decken Sie die Schüssel ab und lassen Sie ihn 30 Minuten ruhen. Den Teig ein zweites Mal dehnen und falten, die Schüssel abdecken und weitere 30 Minuten ruhen lassen.

Fügen Sie nun die sonnengetrockneten Tomaten und das Basilikum hinzu und streuen Sie die Stücke so gut wie möglich über den Teig. Dehnen und falten Sie den Teig noch viermal, decken Sie die Schüssel ab und lassen Sie den Teig zwischendurch jeweils 30 Minuten ruhen. Mit jedem weiteren Dehn- und Faltvorgang werden Sie feststellen, dass die sonnengetrockneten Tomaten und das Basilikum gleichmäßiger im Teig verteilt werden.

Decken Sie die Schüssel ab und lassen Sie den Teig gehen, bis er sich etwa verdoppelt hat, normalerweise 4 bis 8 Stunden oder über Nacht.

Den Teig vorsichtig auf eine bemehlte Arbeitsfläche geben und formen. Abdecken und etwa 4 Stunden gehen lassen, bis sich der Teig etwa verdoppelt hat.

Schneiden Sie die Oberseite auf. Heizen Sie den Ofen auf 400 bis 450 ° vor und backen Sie ihn 40 bis 45 Minuten lang oder bis er fertig ist. Auf einem Kuchengitter abkühlen lassen.

Ergibt 1 Laib

14. Sonnenblumenkernbrot

240 g. aktiver Anlasser
1 EL Butter
240 g. Milch
½ Tasse rohe Sonnenblumenkerne
1 T. Schatz
1 Teelöffel. Salz
175 g. Vollkornmehl
140 g. Hartweizenmehl (Sie können die Hälfte Vollkornmehl und die Hälfte ungebleichtes Allzweckmehl ersetzen)
175 g. ungebleichtes Allzweckmehl
Gießen Sie den Starter in eine große Rührschüssel und stellen Sie ihn zunächst beiseite.
Die Nacht davor:
In einer mikrowellengeeigneten Schüssel die Butter schmelzen und dann die Milch hinzufügen; Sonnenblumenkerne, Honig und Salz unterrühren. Überprüfen Sie die Temperatur der Butter-Milch-Mischung, um sicherzustellen, dass sie nicht wärmer als 100 °C ist. Wenn die Mischung abgekühlt ist, geben Sie sie in die große Rührschüssel, die den Starter enthält, und vermischen Sie alles gut. Vollkornmehl und Hartweizen dazugeben und von Hand vermischen. Geben Sie nach und nach das Allzweckmehl hinzu und vermischen Sie es nach jeder Zugabe. Wenn der Teig zu steif wird, um ihn mit der Hand zu verrühren, den Teig auf eine bemehlte Arbeitsfläche geben und das restliche Mehl unterkneten. Den Teig weiter kneten, bis er glatt und seidig ist (ca. 8 Minuten). Decken Sie die Schüssel mit Frischhaltefolie ab und lassen Sie den Teig über Nacht bei Zimmertemperatur ruhen, damit sich sein Volumen verdoppelt.

Am nächsten Morgen:
Den Teig vorsichtig auf eine bemehlte Arbeitsfläche stürzen und 30 Minuten ruhen lassen. Formen Sie den Teig in die gewünschte Form. Legen Sie den Laib auf ein Backblech oder in eine Kastenform und lassen Sie ihn 2 bis 4 Stunden lang bei Zimmertemperatur gehen, oder so lange, bis sich der Laib etwa verdoppelt hat (wenn Sie eine Kastenform verwenden, lassen Sie ihn aufgehen). oben auf der Kastenform).
Stellen Sie die Pfanne in einen kühlen Ofen und drehen Sie den Ofen dann auf 375°. 65 bis 70 Minuten backen. Nehmen Sie das Brot aus dem Ofen (und der Kastenform, falls verwendet) und legen Sie es zum Abkühlen auf einen Rost.
Ergibt 1 Laib

15. Walnussbrot

200 g. ungebleichtes Allzweckmehl
200 g. Vollkornmehl
40 g. Walnussstücke
10 g. Salz
225 g. Wasser
200 g. aktiver Anlasser
1 T. Walnussöl (optional)
In einer mittelgroßen Rührschüssel Mehl, Walnussstücke und Salz verrühren. Die restlichen Zutaten hinzufügen, vermischen und den Teig dann etwa 30 Minuten ruhen lassen. Lassen Sie den Teig im Behälter und dehnen und falten Sie ihn alle 30 Minuten etwa sechsmal. Decken Sie die Schüssel ab und lassen Sie den Teig gehen, bis er sich etwa verdoppelt hat, normalerweise 4 bis 8 Stunden oder über Nacht.
Den Teig vorsichtig auf eine bemehlte Arbeitsfläche geben und formen. Abdecken und etwa 4 Stunden gehen lassen, bis sich der Teig etwa verdoppelt hat.
Schneiden Sie die Oberseite auf. Heizen Sie den Ofen auf 400 bis 450 ° vor und backen Sie ihn 40 bis 50 Minuten lang oder bis er fertig ist. Auf einem Kuchengitter abkühlen lassen.
Ergibt 1 Laib

16. Weizenvollkornbrot

400 g. Vollkornmehl
250 g. Wasser
200 g. Anlasser
10 g. Salz
In einer großen Schüssel alle Zutaten außer dem Salz vermischen. Lassen Sie den Teig etwa 45 Minuten ruhen. Streuen Sie das Salz über den Teig und mischen Sie ihn erneut gut, um das Salz vollständig zu vermischen. Lassen Sie den Teig im Behälter und dehnen und falten Sie ihn alle 30 Minuten etwa sechsmal. Decken Sie die Schüssel ab und lassen Sie den Teig gehen, bis er sich etwa verdoppelt hat, normalerweise 4 bis 8 Stunden oder über Nacht.
Den Teig vorsichtig auf eine bemehlte Arbeitsfläche geben und formen. Abdecken und etwa 4 Stunden gehen lassen, bis sich der Teig etwa verdoppelt hat.
Schneiden Sie die Oberseite auf. Heizen Sie den Ofen auf 400 bis 450 ° vor und backen Sie ihn 40 bis 45 Minuten lang oder bis er fertig ist. Auf einem Kuchengitter abkühlen lassen.
Ergibt 1 Laib

17. Hafersauerteig

Zutaten

- 1 Tasse (200 ml) Haferflocken
- ¼ Tasse (50 ml) Wasser, Raumtemperatur
- 2 Äpfel, geschält und gerieben

Richtungen

a) Mischen Sie die Haferflocken in einem Mixer, bis eine mehlähnliche Konsistenz erreicht ist.

b) Die Zutaten vermischen und 2–4 Tage in einem Glasgefäß mit dicht schließendem Deckel stehen lassen. Morgens und abends einrühren.

c) Der Starter ist fertig, wenn die Mischung zu sprudeln beginnt. Ab diesem Zeitpunkt müssen Sie den Teig nur noch „füttern", damit er seinen Geschmack und seine Gärfähigkeit behält. Wenn Sie den Sauerteig im Kühlschrank lassen, sollten Sie ihn einmal pro Woche mit ½ Tasse (100 ml) Wasser und 1 Tasse (100 g) Hafermehl füttern. Wenn Sie den Sauerteig bei Zimmertemperatur aufbewahren, sollte er jeden Tag auf die gleiche Weise gefüttert werden. Die Konsistenz sollte einem dicken Brei ähneln.

d) Wenn Sie noch Sauerteig übrig haben, können Sie ihn in Behältern einfrieren, die eine halbe Tasse fassen.

18. Italienisch

Ergibt 3 Brote

Zutaten

Tag 1

- ⅔ Tasse (150 g) Wasser, Raumtemperatur
- 2 Tassen (250 g) Weizenmehl
- 1 ¾ Teelöffel (5 g) frische Hefe

Tag 2

- 9 Tassen (1,1 kg) Weizenmehl
- 2 Tassen (500 ml) Wasser, Raumtemperatur
- 12 Unzen. (350 g) Weizensauerteig-Starter
- ½–1 Esslöffel Honig
- ½ Esslöffel (10 g) Salz

Richtungen

a) Die Zutaten gut vermischen. Den Teig etwa 12 Stunden im Kühlschrank gehen lassen.

b) Alle Zutaten außer dem Salz zum Teig geben, der am Vortag zubereitet wurde. Bis es elastisch ist, kneten und das Salz hinzufügen.

c) Den Teig in drei Teile teilen und runde Laibe formen. Die Brote vorsichtig in Mehl tauchen und auf ein gefettetes Backblech legen.

d) Lassen Sie die Brote etwa 10 Stunden im Kühlschrank gehen.

e) Backen Sie die Brote 25–30 Minuten lang bei 240 °C (475 °F).

19. Rosmarinbrot

Ergibt 1 Laib

Zutaten

- 3 Unzen. (80 g) Weizensauerteig-Starter
- 2 Tassen (250 g) Weizenmehl
- ½ Tasse (125 ml) Wasser, Raumtemperatur
- 3½ Teelöffel (10 g) frische Hefe
- 1 Teelöffel (5 g) Salz
- 1 Esslöffel Olivenöl
- frischer Rosmarin

Richtungen

a) Alle Zutaten bis auf das Öl und den Rosmarin verrühren, bis ein glatter Teig entsteht. 20 Minuten gehen lassen.

b) Rollen Sie den Teig aus und formen Sie ihn zu einem Rechteck mit einer Dicke von etwa 3 mm.

c) Mit Olivenöl bestreichen. Rosmarin hacken und über den Teig streuen. Anschließend den Teig von der kurzen Seite des Rechtecks her aufrollen. Sichern Sie die Enden.

d) Lassen Sie das Brot etwa 30 Minuten gehen und ritzen Sie einen tiefen Einschnitt in die Mitte der Teigrolle, sodass alle Schichten sichtbar sind. Nochmals 10 Minuten gehen lassen.

e) Anfängliche Ofentemperatur: 475 °F (250 °C)

f) Legen Sie das Brot in den Ofen. Streuen Sie eine Tasse Wasser auf den Boden des Ofens. Reduzieren Sie die Temperatur auf 210 °C (400 °F) und backen Sie es etwa 20 Minuten lang.

g) Den Teig mit Öl bestreichen und den Rosmarin gleichmäßig darauf verteilen.

h) Den Teig aufrollen. Drücken Sie die Enden zusammen.

i) Das Brot nach dem Aufgehen einschneiden.

20. Käse- und Sesambrot

Ergibt 3 Brote

Zutaten

Tag 1

- 8½ oz. (240 g) Weizensauerteig-Starter
- 1½ Tasse (350 ml) Wasser, Zimmertemperatur
- 1½ Tasse (200 g) Hartweizenmehl
- 1½ Tasse (200 g) Weizenmehl

Tag 2

- 1 Esslöffel (15 g) Salz
- 2¼ Tasse (250 g) geriebener Käse, z. B. gereifter Schweizer Käse oder Emmentaler
- ½ Tasse (100 ml) geröstete Sesamkörner
- 3⅔ Tassen (400 g) Weizenmehl (Menge variiert je nach verwendetem Käse) Olivenöl für die Schüssel

Richtungen

a) Die Zutaten gründlich vermischen und etwa 12 Stunden im Kühlschrank gehen lassen.

b) Den Teig rechtzeitig aus dem Kühlschrank nehmen, damit er nicht zu kalt ist. Salz, Käse, Sesam und Mehl hinzufügen. Je trockener der Käse, desto weniger Mehl benötigen Sie. Gut vermischen und in einer gefetteten, mit Alufolie abgedeckten Rührschüssel gehen lassen, bis der Teig sein Volumen verdoppelt hat.

c) Den Teig vorsichtig auf einem Tisch ausbreiten und dritteln. Vorsichtig zu runden Broten formen. Legen Sie die Brote auf ein gefettetes Backblech und lassen Sie das Brot etwa 30 Minuten gehen.

d) Anfängliche Ofentemperatur: 450 °F (230 °C)

e) Legen Sie das Brot in den Ofen und reduzieren Sie die Temperatur auf 210 °C. Etwa 30 Minuten backen.

f) Die Sesamkörner in einer trockenen Pfanne rösten. Lassen Sie die Sesamkörner abkühlen, bevor Sie den Teig mischen.

g) Wenn der Teig fertig ist, vorsichtig runde Laibe formen.

h) Nachdem die Brote 30 Minuten lang aufgegangen sind, bestäuben Sie sie mit Mehl und machen Sie vorsichtige Einschnitte auf der Oberseite der Brote, bevor Sie sie in den Ofen schieben.

21. Sauerteigbrot mit grünem Tee

Ergibt ein Brot

Zutaten

- 1 Tasse (250 ml) starker grüner Tee, lauwarm
- 7 Unzen. (200 g) Weizensauerteig
- 1 Esslöffel (15 g) Salz
- 5 Tassen (600 g) Weizenmehl-Olivenöl für die Schüssel

Richtungen

a) Die Zutaten mischen und gut durchkneten. Den Teig in einer gefetteten und abgedeckten Schüssel 1 Stunde gehen lassen.

b) Den Teig vorsichtig auf einen Backtisch gießen. Es sollte leicht herausfließen.

c) Den Laib vorsichtig falten und auf ein gefettetes Backblech legen. Nochmals 30 Minuten gehen lassen.

d) Anfängliche Ofentemperatur: 475 °F (250 °C)

e) Legen Sie das Brot in den Ofen und streuen Sie eine Tasse Wasser auf den Boden des Ofens. Reduzieren Sie die Temperatur auf 200 °C.

f) Das Brot etwa 25 Minuten backen.

22. Englisches Weizensauerteigbrot

Ergibt 1 Laib

Zutaten

- ¾ oz. (20 g) frische Hefe
- 1¼ Tasse (300 ml) Wasser, Raumtemperatur
- 5½ Tassen (650 g) Vollkornmehl
- 5 Unzen. (150 g) Weizensauerteig
- 1 Esslöffel (15 g) Salz
- 1 Esslöffel Rohzucker
- ¼ Tasse (50 ml) Olivenöl
- geschmolzene Butter zum Bestreichen

Richtungen

a) Lösen Sie die Hefe in etwas Wasser auf. Alle Zutaten gründlich vermischen und gut durchkneten. Wenn Sie mehr Wasser als angegeben benötigen, versuchen Sie, jeweils etwas Wasser hinzuzufügen. Die Menge ist nur ein Richtwert, da die Reaktionsfähigkeit des Mehls variieren kann.

b) Formen Sie den gekneteten Teig zu einem Laib und lassen Sie ihn etwa 45–60 Minuten lang gehen, bis sich sein Volumen verdoppelt hat.

c) Bestreichen Sie das Brot mit etwas geschmolzener Butter, bevor Sie es in den Ofen schieben.

d) Legen Sie das Brot in den Ofen und streuen Sie eine Tasse Wasser auf den Boden des Ofens. Reduzieren Sie die Temperatur auf 200 °C.

e) Das Brot etwa 30 Minuten backen.

23. Karottenbrot

Ergibt 2–3 Brote

Zutaten

- ½ Tasse (100 ml) Milch, Zimmertemperatur
- 1¾ Teelöffel (5 g) frische Hefe
- 1 Esslöffel (15 g) Salz
- 3¾ Tassen (450 g) Weizenmehl, Vollkorn
- 1 Tasse (100 g) Haferflocken
- 5 Unzen. (150 g) Weizensauerteig
- 1 Tasse (200 ml) Wasser, Raumtemperatur
- 2 Tassen (250 g) geriebene Karotten

Richtungen

a) Milch und Hefe verrühren. Alle Zutaten außer den Karotten vermischen. Den Teig etwa 10 Minuten lang kneten. Die geriebenen Karotten dazugeben und noch einmal durchkneten.

b) Den Teig an einem warmen Ort 60–90 Minuten gehen lassen.

c) Anfängliche Ofentemperatur: 475 °F (250 °C)

d) Legen Sie die Brote in den Ofen und backen Sie sie 10 Minuten lang. Reduzieren Sie die Temperatur auf 180 °C (350 °F) und backen Sie den Kuchen weitere etwa 30 Minuten.

e) Die Haferflocken in einer beschichteten Bratpfanne rösten.

f) Den Teig etwa 10 Minuten lang kneten. Die geriebene Karotte hinzufügen.

24. Haferbrot

Ergibt 3 Brote

Zutaten

- 1 Portion Hafersauerteig
- ½ Tasse (125 ml) Wasser, Raumtemperatur
- ½ Esslöffel (10 g) Salz
- 2 Teelöffel (15 g) Honig
- ca. 2½ Tassen (300 g) Weizenmehl
- ein paar Haferflocken

Richtungen

a) Alle Zutaten bis auf die Haferflocken vermischen und gut durchkneten. Den Teig 2–3 Stunden gehen lassen.

b) Aus dem Teig drei runde Laibe formen. Mit Wasser bestreichen und das Brot in die Haferflocken tauchen. Den Teig auf einem gefetteten Backblech weitere 45 Minuten gehen lassen.

c) Backen Sie die Brote etwa 20 Minuten lang bei 190 °C (375 °F).

25. Linsenbrot

Ergibt 1 Laib

Zutaten

- 1 Portion Linsensauerteig
- ¼ Tasse (50 g) Olivenöl
- 2 Teelöffel (10 g) Meersalz
- ½ Tasse (100 ml) Wasser, Raumtemperatur
- 2 Tassen (250 g) Weizenmehl

Richtungen

a) Die Zutaten mischen und gut durchkneten. Sollte der Teig zu locker sein, dann noch etwas Mehl hinzufügen. Den Teig über Nacht in den Kühlschrank stellen.

b) Nehmen Sie den Teig heraus und kneten Sie ihn noch etwas weiter. Den Teig zu einem Laib formen und auf ein gefettetes Backblech legen.

c) Lassen Sie das Brot etwa 12 Stunden im Kühlschrank gehen.

d) Nehmen Sie das Brot aus dem Kühlschrank und lassen Sie es 30 Minuten bei Raumtemperatur stehen, bevor Sie es in den Ofen schieben. Backen Sie das Brot etwa 30 Minuten lang bei 200 °C (400 °F).

26. Süßes Karlsbader Brot

Ergibt etwa 30 Brötchen

Zutaten

- 1⅔ Tassen (400 ml) Milch, Zimmertemperatur
- 7 Unzen. (200 g) Weizensauerteig
- 9 Tassen (1 kg) Weizenmehl
- 3½ Esslöffel (30 g) frische Hefe
- 1 Tasse (250 g) Butter
- 1 Tasse (200 g) Zucker
- 6 Eigelb
- ½ Esslöffel (10 g) Salz
- 1 Ei zum Bestreichen

Richtungen

a) Mischen Sie 1¼ Tasse (300 ml) Milch mit dem Sauerteig, der Hälfte des Mehls und der Hefe. Etwa 1 Stunde gehen lassen.

b) Die Butter schmelzen und abkühlen lassen.

c) Alle Zutaten mit dem Teig vermischen. Den Teig glatt kneten.

d) Formen Sie aus dem Teig etwa dreißig einfache Brötchen oder Hörnchen und legen Sie diese auf ein gefettetes Backblech.

e) Unter einem Tuch gehen lassen, bis sich die Größe der Brötchen verdoppelt hat.

f) Die Brötchen mit dem verquirlten Ei bestreichen. Bei 210 °C etwa 10 Minuten backen.

27. Gugelhupf

Ergibt 1–2 Kuchen

Zutaten

Schritt 1

- 1¾ Teelöffel (5 g) frische Hefe
- 1 Tasse (250 ml) Milch, Zimmertemperatur
- 3 Tassen (375 g) Weizenmehl
- 3½ oz. (100 g) Weizensauerteig

Schritt 2

- 1 Tasse (200 ml) Milch, Zimmertemperatur
- 3¾ Tassen (450 g) Weizenmehl
- ½ Tasse (100 g) Zucker
- ¾ Tasse (175 g) geschmolzene Butter, abgekühlt
- 3–4 Eier, Schale von 1 Zitrone, 1 Tasse (150 g) Rosinen, Puderzucker zum Garnieren

Richtungen

a) Die Hefe in etwas Milch auflösen. Die anderen Zutaten hinzufügen und gut vermischen. Den Teig 1–2 Stunden gehen lassen.

b) Alle Zutaten zum Teig geben und gründlich vermischen. Füllen Sie eine oder zwei gefettete und bemehlte 11 × 7 × 1 ½ Zoll große Gugelhupfformen (1 ½ Liter) zur Hälfte mit Teig. Lassen Sie den Teig etwa 1 Stunde lang gehen, bis er etwa 30 Prozent größer ist.

c) Bei 390 °F (200 °C) 20–30 Minuten backen. Lassen Sie den Kuchen abkühlen, bevor Sie ihn aus der Form nehmen. Zum Schluss mit Puderzucker bestreuen.

d) Den Teig mit den Zutaten aus Schritt zwei vermischen und gut verrühren.

e) Die gefetteten und bemehlten Formen zur Hälfte mit Teig füllen.

f) Lassen Sie den gebackenen Kuchen abkühlen, bevor Sie ihn anschneiden.

28. Brioche

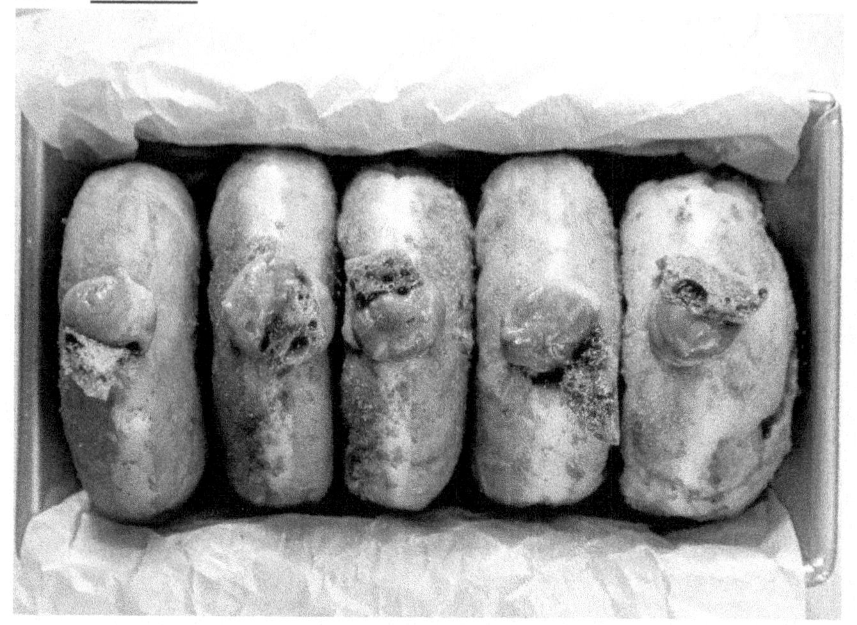

Ergibt etwa 20 Rollen

Zutaten

- 3½ oz. (100 g) Weizensauerteig
- 3½ Tassen (450 g) Weizenmehl
- ⅔ Tasse (75 ml) Milch, Zimmertemperatur 5¼ Teelöffel (15 g) frische Hefe
- 5 Eier
- ⅔ Tasse (75 g) Zucker
- 1½ Esslöffel (25 g) Salz
- 1½ Tasse (350 g) ungesalzene Butter, weich
- 1 Ei zum Bestreichen

Richtungen

a) Den Sauerteig mit der Hälfte des Weizenmehls, der Milch und der Hefe vermischen. Lassen Sie die Mischung etwa 2 Stunden lang gehen.

b) Alle Zutaten außer der Butter hinzufügen und gründlich vermischen. Geben Sie dann nach und nach die Butter hinzu – jeweils etwa ¼ Tasse (50 g). Gut durchkneten.

c) Mit einem Tuch abdecken und den Teig etwa 30 Minuten gehen lassen.

d) Zu zwanzig kleinen, glatten Brötchen formen. Legen Sie sie in Cupcake-Formen und lassen Sie sie gehen, bis sie ihr Volumen verdoppelt haben. Die Brötchen mit dem Ei bestreichen.

e) Backen Sie die Brioche etwa 10 Minuten lang bei 210 °C (400 °F).

29. Weizenbrötchen

Ergibt etwa 35 Brötchen

Zutaten

- 2 Tassen (500 ml) Milch, Zimmertemperatur
- 1¾ oz. (50 g) Weizensauerteig-Starter
- 9½ Tassen (1¼ kg) Weizenmehl
- 1 Tasse (200 g) Butter
- ½ Tasse (75 g) frische Hefe
- ½ Tasse (165 g) weißer Sirup
- ½ Unze. (15 g) gemahlener Kardamom
- 1 Teelöffel (5 g) Salz 1 Ei zum Bestreichen Perlzucker zum Garnieren

Richtungen

a) Mischen Sie 1⅔ Tasse (400 ml) Milch mit dem Sauerteig und der Hälfte des Mehls. Etwa 1 Stunde gehen lassen.

b) Butter schmelzen und abkühlen lassen.

c) Die Hefe in der restlichen Milch auflösen. Wenn Sie fertig sind, geben Sie alle Zutaten zum ersten Teig hinzu und vermischen Sie alles gründlich. Alles glatt kneten.

d) Aus dem Teig 35 Brötchen formen und auf ein gefettetes Backblech legen. Unter einem Tuch gehen lassen, bis sich das Volumen verdoppelt hat.

e) Die Brötchen mit dem verquirlten Ei bestreichen und mit etwas Hagelzucker bestreuen. Bei 210 °C etwa 10 Minuten backen.

Kekse, Bagels, Brötchen, Brötchen und mehr

30. Speck-Käse-Kekse

1 Tasse ungebleichtes Allzweckmehl
2 TL. Backpulver
½ TL. Backpulver
¼ TL. Salz
⅓ Tasse sehr kalte Butter, gewürfelt
¾ Tasse geriebener Cheddar-Käse
8 Scheiben Speck, gekocht, abgekühlt und zerbröselt
1 Tasse Aktivstarter

Den Ofen auf 425° vorheizen. Ein Backblech mit einer Silikon-Backmatte oder Backpapier auslegen; vorerst beiseite legen.

In einer mittelgroßen Rührschüssel Mehl, Backpulver, Natron und Salz verquirlen. Mit einem Ausstecher oder einer Gabel die Butter unterrühren, bis grobe Streusel entstehen. Dabei schnell vorgehen, damit die Butter nicht zu warm wird. Käse und Speck untermischen. Als nächstes fügen Sie eine ¾ Tasse des Starters hinzu und verrühren, bis ein weicher Teig entsteht. Fügen Sie bei Bedarf den restlichen Starter hinzu.

Den Teig auf eine bemehlte Arbeitsfläche geben und einige Male vorsichtig durchkneten. Den Teig mit den Händen oder einem Nudelholz auf eine Dicke von etwa 2,5 cm flach drücken. Mit einem bemehlten Keksausstecher oder einem scharfen Messer 10 bis 12 Kekse daraus schneiden. Legen Sie die Kekse auf das vorbereitete Backblech und backen Sie sie 12 bis 15 Minuten lang oder bis sie aufgebläht und goldbraun sind.

Ergibt 10 bis 12 Kekse

31. Bagels

2 Tassen Aktivstarter (480 g)
2 Eier, geschlagen
½ Tasse Milch
2 T. Öl
4 T. Kristallzucker, geteilt
1 Teelöffel. Salz
3 Tassen ungebleichtes Allzweckmehl
Hinweis: Normalerweise mache ich morgens eine frische Portion Vorspeise und mische den Teig dann noch am selben Abend, damit ich ihn über Nacht gehen lassen und am nächsten Tag die Bagels backen kann.
Gießen oder schöpfen Sie den Starter in eine große Rührschüssel. Eier, Milch, Öl, 2 Esslöffel Zucker und Salz hinzufügen und vermischen. Fügen Sie nach und nach das Mehl hinzu und vermischen Sie es mit der Hand. Wenn der Teig zu steif wird, um ihn mit der Hand weiterzurühren, den Teig auf eine bemehlte Arbeitsfläche geben und das restliche Mehl unterkneten, bis der Teig glatt und seidig ist (ca. 8 Minuten). Bei Bedarf können Sie zusätzliches Mehl verwenden, damit der Teig nicht klebt. Versuchen Sie jedoch, so wenig zusätzliches Mehl wie möglich zu verwenden. Der Teig ist sehr steif, daher können Sie einen Standmixer verwenden, falls Sie einen haben; Mit dem Knethaken 5 bis 7 Minuten kneten.
Geben Sie den Teig in einen sauberen Behälter oder eine große Rührschüssel, decken Sie ihn mit Plastikfolie ab und lassen Sie ihn 8 bis 12 Stunden oder über Nacht bei Raumtemperatur gehen.

Den Teig vorsichtig aus der Schüssel nehmen und auf eine bemehlte Arbeitsfläche legen. Teilen Sie den Teig in 12 bis 15 gleich große Stücke. Formen Sie mit Ihren Händen einen Ball und rollen Sie ihn dann zu einem 15 cm langen Seil. Bringen Sie die Enden des Teigstrangs zu einem Kreis zusammen (wie bei einem Donut) und drücken Sie die Enden zusammen. Legen Sie sie auf die Arbeitsfläche oder ein Stück Pergamentpapier. Mit einem

Küchentuch abdecken und die Bagels 1 bis 2 Stunden bei Zimmertemperatur gehen lassen oder bis sie leicht aufgebläht sind. Den Ofen auf 425° vorheizen.

Bringen Sie 4 Liter Wasser zum Kochen und fügen Sie die restlichen 2 Esslöffel Zucker hinzu. Lassen Sie die Bagels in das kochende Wasser fallen und achten Sie darauf, dass sie nicht im Topf zu viel werden. Wenn sie an die Oberfläche steigen, nehmen Sie sie mit einem Schaumlöffel heraus, lassen Sie sie auf einem Küchentuch (oder Sie können Papiertücher verwenden) abtropfen und legen Sie sie dann auf ein mit gefettetem Backpapier oder einer Silikonbackmatte ausgelegtes Backblech .

Drehen Sie den Ofen auf 375° herunter und stellen Sie die Bagels in den Ofen, um sie 25 bis 30 Minuten lang zu backen, oder bis sie tief goldbraun sind. Legen Sie sie zum Abkühlen auf einen Rost.

Ergibt 12 bis 15 Bagels

32. Handpasteten mit Rindfleisch und Gemüse

Kruste
226 g. sehr kalte Butter (2 Stangen) oder kaltes Backfett
250 g. ungebleichtes Allzweckmehl
6 g. Salz
3 g. Kristallzucker
250 g. Den Starter wegwerfen (am besten direkt aus dem Kühlschrank entsorgen)
10 g. Weißweinessig
Füllung
½ Pfund Rinderhackfleisch
2 T. ungebleichtes Allzweckmehl
1 T. frische Petersilie, gehackt, oder 1 TL. getrocknete Petersilienflocken
¾ TL. Salz
1 Teelöffel. Rinderbrühgranulat oder 1 Rinderbrühwürfel
¼ Tasse heißes Wasser
¾ Tasse Kartoffeln, geschält und klein gewürfelt
½ Tasse Karotten, geschält und klein gewürfelt
2 T. Zwiebel, fein gehackt
1 Ei, verquirlt mit 2 EL Wasser und einer Prise Salz (zum Waschen der Eier)
Mithilfe der größeren Löcher einer Kastenreibe die Butter zerkleinern und in eine große Rührschüssel geben. Schnell arbeiten, damit die Butter möglichst kalt bleibt.
In einer anderen Schüssel Mehl, Salz und Zucker verquirlen. Geben Sie diese Zutaten in die Rührschüssel und vermischen Sie die Zutaten, um die Butterstückchen zu bedecken und zu trennen. Fahren Sie mit einem Ausstecher fort, um die Butter in die Mehlmischung zu schneiden, bis große Krümel entstehen.
Den Sauerteig und den Essig dazugeben und mit einer Gabel mit der Mehlmischung vermengen. Wenn der Teig anfängt, zusammenzuhalten, bearbeiten Sie den Teig schnell mit den Händen, sodass keine trockenen Mehlstückchen mehr übrig bleiben. Wenn der Teig zu trocken erscheint, können Sie ein oder

zwei Teelöffel sehr kaltes Wasser (Eiswasser, falls vorhanden) hinzufügen.
Den Teig in 6 gleiche Portionen schneiden; Wickeln Sie jede Portion in Plastikfolie ein und stellen Sie den Teig in den Kühlschrank, während Sie die Fleischfüllung zubereiten.
Das Hackfleisch in einer Pfanne anbraten, bis das Fleisch nicht mehr rosa ist; das Fett ablassen. Mehl, Petersilie und Salz hinzufügen und gut umrühren, um das Fleisch mit dem Mehl zu bedecken. Die Bouillon im heißen Wasser auflösen und unter die Fleischmasse rühren. Unter ständigem Rühren die Kartoffeln, Karotten und Zwiebeln hinzufügen. Abdecken und bei mittlerer Hitze kochen, bis das Gemüse knusprig und zart ist. Nehmen Sie die Pfanne vom Herd und lassen Sie die Mischung abkühlen.
Den Backofen auf 400° vorheizen. Ein Backblech mit Backpapier oder einer Silikon-Backmatte auslegen.
Nehmen Sie den Teig aus dem Kühlschrank und rollen Sie jedes Stück zu einem 20 cm großen Kreis aus. Etwa ⅓ gehäufte Tasse der Fleischmischung leicht außermittig auf jeden Teigkreis geben. Befeuchten Sie den Teigrand und falten Sie den Teig zu einem Halbkreis. Crimpen Sie die Ränder mit einer Gabel zusammen, um die Ränder zu versiegeln. Schneiden Sie mit einem sehr scharfen Messer einen 1 Zoll langen Schlitz in die Oberseite. Bestreichen Sie die Oberseite der Handpasteten mit dem Eierlikör.
Legen Sie die Hand Pies auf das vorbereitete Backblech und reduzieren Sie die Hitze auf 350°. Legen Sie das Backblech sofort in den Ofen und backen Sie die Kuchen 35 bis 40 Minuten lang oder bis die Oberfläche gebräunt ist.
Ergibt 6 Kuchen

33. Blaubeer-Bagels

2 Tassen Aktivstarter (480 g)
2 Eier, geschlagen
½ Tasse Milch
½ Tasse Blaubeeren, frisch, getrocknet, gefroren und aufgetaut oder aus der Dose und abgetropft
2 T. Öl
4 T. Kristallzucker, geteilt
1 Teelöffel. Salz
3 Tassen ungebleichtes Allzweckmehl
Hinweis: Normalerweise mache ich morgens eine frische Portion Vorspeise und mische den Teig dann noch am selben Abend, damit ich den Teig über Nacht gehen lassen und die Bagels am nächsten Tag backen kann.
Gießen oder schöpfen Sie den Starter in eine große Rührschüssel. Eier, Milch, Blaubeeren, Öl, 2 Esslöffel Zucker und Salz hinzufügen und verrühren. Fügen Sie nach und nach das Mehl hinzu und vermischen Sie es mit der Hand. Wenn der Teig zu steif wird, um ihn weiter mit der Hand zu verrühren, den Teig auf eine bemehlte Arbeitsfläche geben und das restliche Mehl unterkneten, bis der Teig glatt und seidig ist (ca. 7 Minuten). Bei Bedarf können Sie zusätzliches Mehl verwenden, damit der Teig nicht klebt. Versuchen Sie jedoch, so wenig zusätzliches Mehl wie möglich zu verwenden. Der Teig ist sehr steif, daher können Sie einen Standmixer verwenden, falls Sie einen haben; 5 Minuten mit dem Knethaken kneten.

Geben Sie den Teig in einen sauberen Behälter oder eine große Rührschüssel, decken Sie ihn mit Plastikfolie ab und lassen Sie ihn 8 bis 12 Stunden oder über Nacht bei Raumtemperatur gehen.
Den Teig vorsichtig aus der Schüssel nehmen und auf eine bemehlte Arbeitsfläche legen. Teilen Sie den Teig in 12 bis 15 gleich große Stücke. Formen Sie mit Ihren Händen einen Ball und rollen Sie ihn dann zu einem 15 cm langen Seil. Bringen Sie die Enden des Teigstrangs zu einem Kreis zusammen (wie bei einem Donut) und drücken Sie die Enden zusammen. Legen Sie sie auf die

Arbeitsfläche oder ein Stück Pergamentpapier. Mit einem Küchentuch abdecken und die Bagels 1 bis 2 Stunden bei Zimmertemperatur gehen lassen oder bis sie leicht aufgebläht sind. Den Ofen auf 425° vorheizen.
Bringen Sie 4 Liter Wasser zum Kochen und fügen Sie die restlichen 2 Esslöffel Zucker hinzu. Lassen Sie die Bagels in das kochende Wasser fallen und achten Sie darauf, dass sie nicht im Topf zu viel werden. Wenn sie an die Oberfläche steigen, nehmen Sie sie mit einem Schaumlöffel heraus, lassen Sie sie auf einem Küchentuch (oder Sie können Papiertücher verwenden) abtropfen und legen Sie sie dann auf ein mit gefettetem Backpapier oder einer Silikonbackmatte ausgelegtes Backblech .
Drehen Sie den Ofen auf 375° herunter und stellen Sie die Bagels in den Ofen, um sie 25 bis 30 Minuten lang zu backen, oder bis sie tief goldbraun sind. Legen Sie sie zum Abkühlen auf einen Rost.
Ergibt 12 bis 15 Bagels

34. Butterhörner

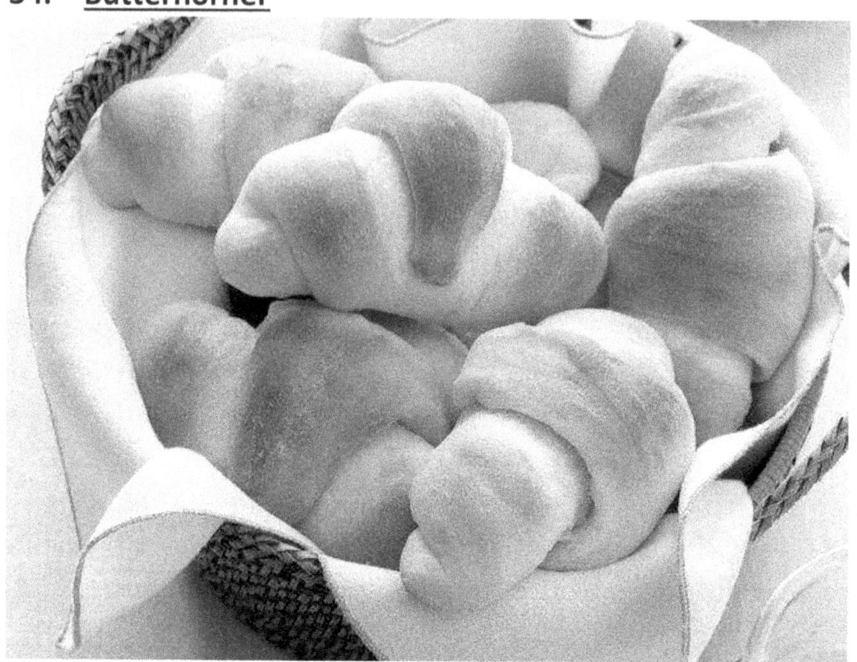

1 Tasse Milch
½ Tasse Wasser
½ Tasse (1 Stange) Butter, plus etwas mehr zum Bestreichen
½ Tasse Kristallzucker
2 TL. Salz
4½ Tassen ungebleichtes Allzweckmehl, geteilt
1 Tasse Vorspeise
3 Eier

In einem mittelgroßen Topf Milch, Wasser, ½ Tasse Butter, Zucker und Salz verrühren und auf niedriger Stufe erhitzen, bis die Butter geschmolzen ist. Die Mischung in eine große Rührschüssel geben und abkühlen lassen, bis sie kaum noch warm ist. 2 Tassen Mehl hinzufügen und vermischen. Den Starter dazugeben und erneut mixen. Decken Sie die Schüssel mit Plastikfolie ab und lassen Sie sie etwa 8 Stunden oder über Nacht bei Raumtemperatur stehen.

Von dem restlichen Mehl so viel hinzufügen, dass ein weicher, lockerer Teig entsteht, der etwas klebrig ist. Fügen Sie die Eier einzeln hinzu und vermischen Sie sie nach jeder Zugabe gut. Decken Sie die Schüssel ab und lassen Sie sie 2 Stunden lang bei Raumtemperatur stehen.

Den Teig auf eine bemehlte Arbeitsfläche geben und in 3 gleich große Portionen schneiden. Rollen Sie jede Portion zu einem dicken Kreis aus, der etwas dicker als ein Tortenboden ist. Bestreichen Sie jeden Kreis mit geschmolzener Butter und schneiden Sie dann jeden Kreis in 12 Stücke, als ob Sie einen Kuchen schneiden würden. Rollen Sie jeden Keil auf, beginnend am fetten Ende und rollen Sie ihn zur Spitze hin auf. Legen Sie die Brötchen auf Backbleche, die mit einer Silikonbackmatte oder Backpapier ausgelegt sind. Decken Sie die Brötchen ab und lassen Sie sie bei Zimmertemperatur ruhen, bis sie leicht und locker sind (ca. 2 Stunden).

Den Backofen auf 350° vorheizen. 15 Minuten backen oder bis die Brötchen leicht goldbraun und durchgebacken sind.

Pur oder mit Puderzucker bestreut servieren.

Macht 36

35. Cheddar-Käse-Bagels

2 Tassen Aktivstarter (480 g)
2 Eier, geschlagen
½ Tasse Milch
½ Tasse scharfer Cheddar-Käse, gerieben, plus etwas mehr zum Bestreuen
2 T. Öl
3 T. Kristallzucker, geteilt
1 Teelöffel. Salz
3 Tassen ungebleichtes Allzweckmehl

Hinweis: Normalerweise mache ich morgens eine frische Portion Vorspeise und mische den Teig dann noch am selben Abend, damit ich den Teig über Nacht gehen lassen und die Bagels am nächsten Tag backen kann.
Gießen oder schöpfen Sie den Starter in eine große Rührschüssel. Eier, Milch, Cheddar-Käse, Öl, 1 Esslöffel Zucker und Salz hinzufügen und verrühren. Fügen Sie nach und nach das Mehl hinzu und vermischen Sie es mit der Hand. Wenn der Teig zu steif wird, um ihn mit der Hand weiterzurühren, den Teig auf eine bemehlte Arbeitsfläche geben und das restliche Mehl unterkneten, bis der Teig glatt und seidig ist (ca. 8 Minuten). Bei Bedarf können Sie zusätzliches Mehl verwenden, damit der Teig nicht klebt. Versuchen Sie jedoch, so wenig zusätzliches Mehl wie möglich zu verwenden. Der Teig ist sehr steif, daher können Sie einen Standmixer verwenden, falls Sie einen haben; Mit dem Knethaken 5 bis 7 Minuten kneten.
Geben Sie den Teig in einen sauberen Behälter oder eine große Rührschüssel, decken Sie ihn mit Plastikfolie ab und lassen Sie ihn 8 bis 12 Stunden oder über Nacht bei Raumtemperatur gehen.
Den Teig vorsichtig aus der Schüssel nehmen und auf eine bemehlte Arbeitsfläche legen. Teilen Sie den Teig in 12 bis 15 gleich große Stücke. Formen Sie mit Ihren Händen einen Ball und rollen Sie ihn dann zu einem 15 cm langen Seil. Bringen Sie die Enden des Teigstrangs zu einem Kreis zusammen (wie bei einem Donut) und drücken Sie die Enden zusammen. Legen Sie sie auf die

Arbeitsfläche oder ein Stück Pergamentpapier. Mit einem Küchentuch abdecken und die Bagels 1 bis 2 Stunden bei Zimmertemperatur gehen lassen oder bis sie leicht aufgebläht sind. Den Ofen auf 425° vorheizen.
Bringen Sie 4 Liter Wasser zum Kochen und fügen Sie die restlichen 2 Esslöffel Zucker hinzu. Lassen Sie die Bagels in das kochende Wasser fallen und achten Sie darauf, dass sie nicht im Topf zu viel werden. Wenn sie nach etwa 30 Sekunden (oder etwas länger) an die Oberfläche steigen, nehmen Sie sie mit einem Schaumlöffel heraus, lassen Sie sie auf einem Küchentuch (oder Sie können Papiertücher verwenden) abtropfen und legen Sie sie dann auf ein Backblech Mit gefettetem Backpapier oder einer Silikon-Backmatte auslegen. Nach Belieben die Oberfläche der Bagels mit einer kleinen Menge geriebenem Käse bestreuen.
Drehen Sie den Ofen auf 375° herunter und stellen Sie die Bagels in den Ofen, um sie 25 bis 30 Minuten lang zu backen, oder bis sie tief goldbraun sind. Legen Sie sie zum Abkühlen auf einen Rost.
Ergibt 12 bis 15 Bagels

36. Käse- und Schnittlauchkekse

1 Tasse ungebleichtes Allzweckmehl
2 TL. Backpulver
½ TL. Backpulver
¼ TL. Salz
¾ Tasse geriebener scharfer Cheddar-Käse
½ Tasse geschnittener Schnittlauch
⅓ Tasse sehr kalte Butter, gewürfelt
1 Tasse Aktivstarter

Den Ofen auf 425° vorheizen. Ein Backblech mit einer Silikon-Backmatte oder Backpapier auslegen; vorerst beiseite legen.

In einer mittelgroßen Rührschüssel Mehl, Backpulver, Natron und Salz verquirlen. Käse und Schnittlauch hinzufügen. Mit einem Ausstecher oder einer Gabel die Butter unterrühren, bis grobe Streusel entstehen. Dabei schnell vorgehen, damit die Butter nicht zu warm wird. Als nächstes fügen Sie eine ¾ Tasse des Starters hinzu und verrühren, bis ein weicher Teig entsteht. Fügen Sie bei Bedarf den restlichen Starter hinzu.

Den Teig auf eine bemehlte Arbeitsfläche geben und einige Male vorsichtig durchkneten. Den Teig mit den Händen oder einem Nudelholz auf eine Dicke von etwa 2,5 cm flach drücken. Mit einem bemehlten Keksausstecher oder einem scharfen Messer 10 bis 12 Kekse daraus schneiden. Legen Sie die Kekse auf das vorbereitete Backblech und backen Sie sie 14 bis 16 Minuten lang oder bis sie aufgebläht und goldbraun sind.

Ergibt 10 bis 12 Kekse

37. Käse und Jalapeño-Bagels

2 Tassen Aktivstarter (480 g)
2 Eier, geschlagen
½ Tasse Milch
⅓ Tasse scharfer Cheddar-Käse, gerieben, plus etwas mehr zum Bestreuen
2 T. Öl
3 T. Kristallzucker, geteilt
1 Teelöffel. Salz
¼ Tasse fein gehackte eingelegte, geröstete oder frische Jalapeño-Paprikaschoten
3 Tassen ungebleichtes Allzweckmehl
Hinweis: Normalerweise mache ich morgens eine frische Portion Vorspeise und mische den Teig dann noch am selben Abend, damit ich den Teig über Nacht gehen lassen und die Bagels am nächsten Tag backen kann.
Gießen oder schöpfen Sie den Starter in eine große Rührschüssel. Eier, Milch, Käse, Öl, 1 Esslöffel Zucker, Salz und Paprika hinzufügen und verrühren. Fügen Sie nach und nach das Mehl hinzu und vermischen Sie es mit der Hand. Wenn der Teig zu steif wird, um ihn mit der Hand weiterzurühren, den Teig auf eine bemehlte Arbeitsfläche geben und das restliche Mehl unterkneten, bis der Teig glatt und seidig ist (ca. 8 Minuten). Bei Bedarf können Sie zusätzliches Mehl verwenden, damit der Teig nicht klebt. Versuchen Sie jedoch, so wenig zusätzliches Mehl wie möglich zu verwenden. Der Teig ist sehr steif, daher können Sie einen Standmixer verwenden, falls Sie einen haben; Mit dem Knethaken 5 bis 7 Minuten kneten.
Geben Sie den Teig in einen sauberen Behälter oder eine große Rührschüssel, decken Sie ihn mit Plastikfolie ab und lassen Sie ihn 8 bis 12 Stunden oder über Nacht bei Raumtemperatur gehen.
Den Teig vorsichtig aus der Schüssel nehmen und auf eine bemehlte Arbeitsfläche legen. Teilen Sie den Teig in 12 bis 15 gleich große Stücke. Formen Sie mit Ihren Händen einen Ball und rollen Sie ihn dann zu einem 15 cm langen Seil. Bringen Sie die Enden des Teigstrangs zu einem Kreis zusammen (wie bei einem Donut) und

drücken Sie die Enden zusammen. Lege sie auf die Arbeitsfläche oder ein leicht mit Mehl bestäubtes Stück Backpapier. Mit einem Küchentuch abdecken und die Bagels 1 bis 2 Stunden bei Zimmertemperatur gehen lassen oder bis sie leicht aufgebläht sind. Den Ofen auf 425° vorheizen.

Bringen Sie 4 Liter Wasser zum Kochen und fügen Sie die restlichen 2 Esslöffel Zucker hinzu. Lassen Sie die Bagels in das kochende Wasser fallen und achten Sie darauf, dass sie nicht im Topf zu viel werden. Wenn sie nach etwa 30 Sekunden an die Oberfläche steigen, nehmen Sie sie mit einem Schaumlöffel heraus, lassen Sie sie auf einem Küchentuch (oder Sie können Papiertücher verwenden) abtropfen und legen Sie sie dann auf ein mit gefettetem Backpapier ausgelegtes Backblech oder eine Silikon-Backmatte. Nach Belieben die Oberfläche der Bagels mit einer kleinen Menge geriebenem Käse bestreuen.

Drehen Sie den Ofen auf 375° herunter und stellen Sie die Bagels in den Ofen, um sie 25 bis 30 Minuten lang zu backen, oder bis sie tief goldbraun sind. Legen Sie sie zum Abkühlen auf einen Rost.

Ergibt 12 bis 15 Bagels

38. Zimt-Rosinen-Bagels

2 Tassen Aktivstarter (480 g)
2 Eier, geschlagen
½ Tasse Milch
½ Tasse Rosinen
2 T. Öl
4 T. Kristallzucker, geteilt
1 Teelöffel. Salz
1 Teelöffel. Zimt
3 Tassen ungebleichtes Allzweckmehl
Hinweis: Normalerweise mache ich morgens eine frische Portion Vorspeise und mische den Teig dann noch am selben Abend, damit ich den Teig über Nacht gehen lassen und die Bagels am nächsten Tag backen kann.
Gießen oder schöpfen Sie den Starter in eine große Rührschüssel. Eier, Milch, Rosinen, Öl, 2 Esslöffel Zucker, Salz und Zimt hinzufügen und verrühren. Fügen Sie nach und nach das Mehl hinzu und vermischen Sie es mit der Hand. Wenn der Teig zu steif wird, um ihn mit der Hand weiterzurühren, den Teig auf eine bemehlte Arbeitsfläche geben und das restliche Mehl unterkneten, bis der Teig glatt und seidig ist (ca. 8 Minuten). Bei Bedarf können Sie zusätzliches Mehl verwenden, damit der Teig nicht klebt. Versuchen Sie jedoch, so wenig zusätzliches Mehl wie möglich zu verwenden. Der Teig ist sehr steif, daher können Sie einen Standmixer verwenden, falls Sie einen haben; Mit dem Knethaken 5 bis 7 Minuten kneten.
Geben Sie den Teig in einen sauberen Behälter oder eine große Rührschüssel, decken Sie ihn mit Plastikfolie ab und lassen Sie ihn 8 bis 12 Stunden oder über Nacht bei Raumtemperatur gehen.

Den Teig vorsichtig aus der Schüssel nehmen und auf eine bemehlte Arbeitsfläche legen. Teilen Sie den Teig in 12 bis 15 gleich große Stücke. Formen Sie mit Ihren Händen einen Ball und rollen Sie ihn dann zu einem 15 cm langen Seil. Bringen Sie die Enden des Teigstrangs zu einem Kreis zusammen (wie bei einem Donut) und drücken Sie die Enden zusammen. Legen Sie sie auf die

Arbeitsfläche oder ein Stück Pergamentpapier. Mit einem Küchentuch abdecken und die Bagels 1 bis 2 Stunden bei Zimmertemperatur gehen lassen oder bis sie leicht aufgebläht sind. Den Ofen auf 425° vorheizen.
Bringen Sie 4 Liter Wasser zum Kochen und fügen Sie die restlichen 2 Esslöffel Zucker hinzu. Lassen Sie die Bagels in das kochende Wasser fallen und achten Sie darauf, dass sie nicht im Topf zu viel werden. Wenn sie an die Oberfläche steigen, nehmen Sie sie mit einem Schaumlöffel heraus, lassen Sie sie auf einem Küchentuch (oder Sie können Papiertücher verwenden) abtropfen und legen Sie sie dann auf ein mit gefettetem Backpapier oder einer Silikonbackmatte ausgelegtes Backblech .
Drehen Sie den Ofen auf 375° herunter und stellen Sie die Bagels in den Ofen, um sie 25 bis 30 Minuten lang zu backen, oder bis sie tief goldbraun sind. Legen Sie sie zum Abkühlen auf einen Rost.
Ergibt 12 bis 15 Bagels

39. Körnerbrot

1 Tasse Starter (wegwerfen ist in Ordnung)
1 Tasse Buttermilch
1 Tasse Maismehl
1 Tasse ungebleichtes Allzweckmehl
2 Eier
½ Tasse Butter, geschmolzen und abgekühlt, aber noch flüssig
¼ Tasse Zucker
½ TL. Salz
2 TL. Backpulver
½ TL. Backpulver
In einer mittelgroßen Rührschüssel Starter, Buttermilch, Maismehl und Mehl vermischen. (Sie können die Schüssel mit Plastikfolie abdecken und für ein oder zwei Stunden bei Raumtemperatur stehen lassen, um den Geschmack weiter zu entwickeln, oder sofort mit den nächsten Schritten fortfahren.)
Den Backofen auf 350° vorheizen. Fetten oder buttern Sie eine 9-Zoll-Gusseisenpfanne, einen tiefen Kuchenteller oder eine Auflaufform großzügig ein und stellen Sie sie beiseite, während Sie mit dem Mischen des Teigs fertig sind.
Eier, Butter, Zucker und Salz zur Mehlmischung geben und verrühren. Backpulver und Natron dazugeben und nochmals umrühren.
Geben Sie den Teig in den vorbereiteten Backbehälter und glätten Sie die Oberfläche des Teigs. 35 bis 40 Minuten backen oder bis die Oberseite hellbraun und die Mitte durchgegart ist. Lassen Sie das Maisbrot etwa 10 Minuten abkühlen, bevor Sie es in Scheiben schneiden.
Für 6 bis 8 Personen

40. Brötchen

Anlasser
60 g. ungebleichtes Allzweckmehl
60 g. Wasser
24 g. Anlasser
12 g. Kristall- oder Puderzucker
Brötchen zum Abendessen
75 g. Butter
Vorspeise am Vorabend zubereitet
440 g. ungebleichtes Allzweckmehl
180 g. Wasser, Zimmertemperatur oder leicht lauwarm
115 g. Milch
23 g. Kristall- oder Puderzucker
10 g. Salz
1 Ei, geschlagen mit 1 EL Milch zum Waschen der Eier
Die Nacht davor:
Mischen Sie die Starterzutaten in einem weithalsigen Einmachglas oder einer mittelgroßen Rührschüssel. Mit Plastikfolie abdecken und über Nacht bei Zimmertemperatur stehen lassen.
Am nächsten Morgen:
Schneiden Sie die Butter in ½-Zoll-Stücke; Legen Sie die Stücke in eine kleine Schüssel und stellen Sie sie zunächst beiseite – sie müssen Zimmertemperatur haben, wenn Sie sie verwenden.
In die Schüssel einer Küchenmaschine die Vorspeise zusammen mit allen Brötchenzutaten außer Butter und Ei geben. Auf niedrige Geschwindigkeit stellen und mixen, bis keine trockenen Mehlstückchen mehr vorhanden sind. Stellen Sie den Mixer auf mittlere Geschwindigkeit und mischen Sie weiter, bis sich ein Teig bildet und sich von den Seiten löst (3 bis 5 Minuten). Geben Sie den Teig in eine große Schüssel und decken Sie die Schüssel mit Plastikfolie ab. Lassen Sie den Teig 30 Minuten ruhen und führen Sie dann im Abstand von 30 Minuten 3 Dehn- und Faltvorgänge durch, wobei Sie die Schüssel zwischen den Durchgängen abdecken. Halten Sie die Schüssel abgedeckt und lassen Sie den Teig weitere 2½ Stunden bei Raumtemperatur gehen.

Vor dem Formen den Teig 20 Minuten in den Kühlschrank stellen – so lassen sich die Brötchen leichter formen, da der Teig sehr weich und luftig ist.
Bereiten Sie eine 9 × 9 Zoll große Auflaufform vor, indem Sie die Innenseite großzügig mit Butter bestreichen, oder legen Sie ein Stück Pergamentpapier hinein, das so zugeschnitten ist, dass es in die Form passt.
Den Teig vorsichtig auf eine bemehlte Arbeitsfläche stürzen. Teilen Sie den Teig mit einem Schaber oder einem scharfen Messer in 16 gleiche Portionen. Jedes Teigstück zu einer festen Kugel formen. Legen Sie die Teigkugeln in 4 Reihen quer und 4 Reihen nach unten in die Auflaufform.
Decken Sie die Auflaufform mit Frischhaltefolie ab und lassen Sie die Brötchen etwa 3 Stunden bei Zimmertemperatur gehen. Der Teig sollte etwa bis zum Rand der Auflaufform aufgegangen sein und sehr weich sein. Ist dies nicht der Fall, lassen Sie den Teig weitergehen und prüfen Sie ihn jede halbe Stunde noch einmal.
Den Ofen auf 425° vorheizen.
Machen Sie das Ei und schlagen Sie die Mischung sehr gut, bis sie schaumig ist. Bestreichen Sie die Oberseite der Brötchen mit dem Eigelb und stellen Sie die Auflaufform auf die mittlere Schiene in den Ofen. 20 Minuten backen, dann den Ofen auf 375° herunterdrehen und 15 bis 20 Minuten weiterbacken, oder bis die Oberfläche goldbraun ist.
Nehmen Sie die Brötchen aus dem Ofen und lassen Sie sie 5 Minuten lang in der Auflaufform ruhen, bevor Sie sie zum weiteren Abkühlen auf einen Rost legen.
Ergibt 16 Rollen

41. Englische Muffins

½ Tasse Starter wegwerfen
2¾ Tassen ungebleichtes Allzweckmehl, geteilt
1 Tasse Milch
1 T. Kristallzucker
1 Teelöffel. Backpulver
¾ TL. Salz
Maismehl zum Bestäuben

In einer großen Rührschüssel die Vorspeise und 2 Tassen Mehl verrühren. Mit Plastikfolie abdecken und 8 bis 10 Stunden oder über Nacht bei Raumtemperatur stehen lassen.

Restliches Mehl, Milch, Zucker, Backpulver und Salz hinzufügen und gut vermischen. Den Teig auf eine bemehlte Arbeitsfläche geben und kneten, bis er glatt und elastisch ist (4 bis 5 Minuten).

Rollen Sie den Teig ½ Zoll dick aus oder tupfen Sie ihn aus und schneiden Sie die englischen Muffins mit einem 3-Zoll-Keks- oder Plätzchenausstecher aus. Bevor Sie die Reste erneut aufrollen, um weitere Muffins zu schneiden, lassen Sie den Teig 10 Minuten ruhen.

Streuen Sie Maismehl auf ein Backblech oder ein Stück Pergament und legen Sie die Muffins darauf. Lassen Sie die Muffins mindestens 1 Stunde bei Zimmertemperatur ruhen.

Fetten Sie eine Grillplatte oder Pfanne leicht ein (am besten eignet sich Gusseisen). Auf mittlere bis niedrige Stufe erhitzen und die englischen Muffins dann etwa 6 Minuten pro Seite backen oder bis sie durchgebacken und oben goldbraun sind. Achten Sie darauf, die Hitze niedrig genug zu halten, damit die Muffins garen, ohne anzubrennen. Legen Sie die Muffins auf ein Kuchengitter oder Papiertücher, um sie vollständig abzukühlen. Anstatt die englischen Muffins mit einem Messer zu schneiden, stechen Sie mit einer Gabel rundherum Löcher in die Ränder und reißen Sie sie dann auseinander.

Ergibt 12 Muffins

42. Alles Bagels

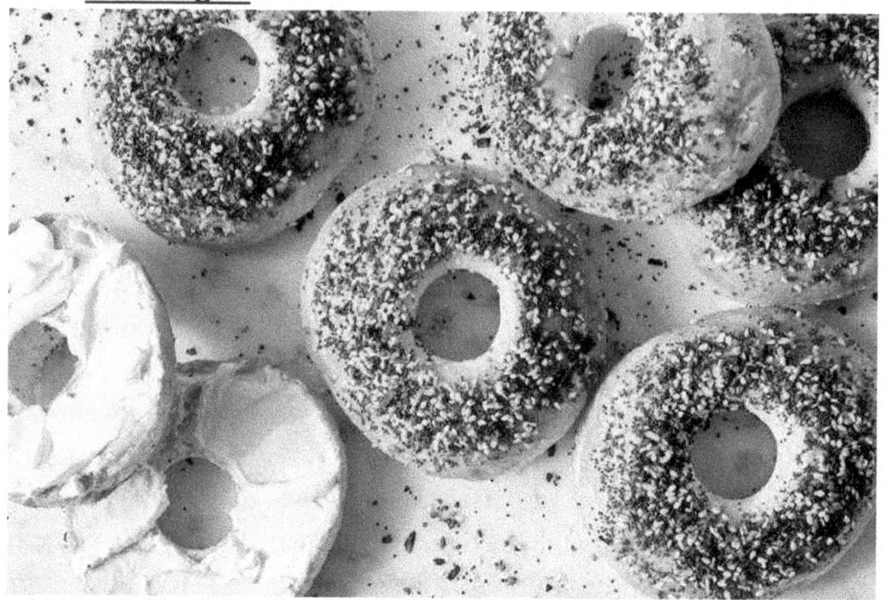

Zutaten für Everything Spice Seasoning:
2 Teelöffel Mohn
1 T. plus 1 TL. getrocknete gehackte Zwiebel
1 T. plus 1 TL. getrockneter gehackter Knoblauch
1 T. weiße Sesamkörner
1 T. schwarze Sesamkörner
2 TL. grobes Salz oder grobes Meersalz
1 Portion einfache Bagels, bereit zum Vorkochen und Backen (siehe Rezept für Bagels auf Seite 66)
Um das Everything Spice Seasoning zuzubereiten, mischen Sie alle Zutaten außer den Bagels in einem kleinen Behälter mit dicht schließendem Deckel.
Sobald die Bagels aus dem kochenden Wasser genommen werden, legen Sie sie auf eine Silikon-Backmatte oder gefettetes Backpapier und bestreuen Sie sie großzügig mit dem Everything Spice Seasoning. (Die Samen und Gewürze bleiben am Bagel haften, solange sie noch feucht sind.) Backen Sie gemäß den Anweisungen im Bagel-Rezept.
Ergibt 12 bis 15 Bagels

43. Deutsche Roggen- und Weizenbrötchen

Sauerteigstarter
150 g. Roggenmehl
150 g. Wasser
1 T. Anlasser
Hefestarter
150 g. Vollkornmehl
150 g. Wasser
1,5 g. Hefe (Instant oder aktiv trocken)
Deutsche Roggen- und Weizenbrötchen
Sauerteigstarter
Hefestarter
450 g. Vollkornmehl
250 g. Roggenmehl
18 g. Salz
3 g. Hefe (Instant oder aktiv trocken)
1 Teelöffel. Gerstenmalzsirup (kann eine gleiche Menge Melasse oder Honig ersetzen)
Die Nacht davor:
In einem weithalsigen Einmachglas oder einer kleinen Rührschüssel die Zutaten für den Sauerteig vermischen und gut verrühren. Decken Sie die Oberseite mit Plastikfolie ab und lassen Sie es etwa 12 Stunden oder über Nacht bei Raumtemperatur stehen.
In einem separaten weithalsigen Einmachglas oder einer kleinen Rührschüssel die Zutaten für den Hefestarter unter Rühren vermischen, bis alles gut vermischt ist. Decken Sie die Oberseite mit Plastikfolie ab und lassen Sie es etwa 12 Stunden oder über Nacht bei Raumtemperatur stehen.
Am nächsten Morgen:
In einer großen Rührschüssel alle Zutaten vermischen. Von Hand vermischen, bis keine trockenen Mehlreste mehr übrig sind (oder so nah wie möglich). Decken Sie die Schüssel mit Plastikfolie ab und lassen Sie den Teig 30 Minuten lang bei Raumtemperatur ruhen, um die Hydratation des Mehls zu unterstützen.

Dehnen und falten Sie den Teig in Abständen von 30 Minuten und bedecken Sie den Teig zwischen den einzelnen Durchgängen mindestens sechsmal oder bis der Teig glatt und leicht ist.
Schneiden Sie den Teig in 18 gleich große Portionen und formen Sie die Stücke zu Batards (sie sehen aus wie Torpedos). Legen Sie die Brötchen auf Backbleche, die mit einer Silikon-Backmatte oder Backpapier ausgelegt sind. Decken Sie die Brötchen mit einem Küchentuch ab und lassen Sie sie 45 bis 60 Minuten bei Zimmertemperatur ruhen.
Den Backofen auf 400° vorheizen. Schneiden Sie kurz vor dem Backen die Oberseiten jeder Rolle der Länge nach in der Mitte ein. 15 bis 20 Minuten backen oder bis es leicht gebräunt ist. Aus dem Ofen nehmen und die Brötchen zum Abkühlen auf einen Rost legen.
Ergibt 18 Rollen

44. Hamburgerbrötchen

430 g. ungebleichtes Allzweckmehl, geteilt
240 g. Milch, leicht warm
60 g. aktiver Anlasser
2 Eier, geteilt
2 EL Kristallzucker
1 Teelöffel. Trockenhefe
1 Teelöffel. Salz
3 T. Butter, auf Raumtemperatur erweicht
2 TL. Sesamsamen (optional)

In einer Küchenmaschine mit Knethaken 300 Gramm Mehl mit Milch, Sauerteig, 1 Ei sowie Zucker, Hefe und Salz vermischen. Bei niedriger bis mittlerer Geschwindigkeit schlagen, bis ein zottiger Teig entsteht. Decken Sie die Mischung mit einem feuchten Tuch oder einer Plastikfolie ab und lassen Sie den Teig 30 Minuten ruhen. Kneten Sie den Teig immer noch mit dem Knethaken 7 bis 8 Minuten lang und fügen Sie nach und nach das restliche Mehl und die Butterstücke hinzu. Der Teig sollte weich und klebrig sein, sich aber vom Schüsselrand lösen lassen.
Den Teig mit einem Spatel oder Teigschaber in eine große, gefettete Rührschüssel füllen. Decken Sie die Schüssel mit Plastikfolie ab und lassen Sie sie 2 bis 3 Stunden lang bei Raumtemperatur ruhen, oder bis sich die Teigmenge etwa verdoppelt hat.
Den Teig auf eine bemehlte Arbeitsfläche geben und in 8 gleich große Portionen teilen. Formen Sie den Teig zu festen Kugeln, so wie Sie einen runden Laib formen würden. Legen Sie die geformten Brötchen mit einem Abstand von mindestens einem Zentimeter auf ein Backblech, das mit einer Silikon-Backmatte oder Pergamentpapier ausgelegt ist. Decken Sie die Brötchen mit einem feuchten Küchentuch ab und lassen Sie sie 1½ bis 2 Stunden lang bei Zimmertemperatur gehen oder bis sich ihr Volumen etwa verdoppelt hat und die Seiten sich berühren.
Den Backofen auf 375° vorheizen.
Das zweite Ei mit 2 Esslöffeln Wasser verquirlen und die Oberseite der Brötchen mit dem Ei bestreichen. Bei Bedarf die Brötchen mit den Sesamkörnern bestreuen. Backen Sie die Brötchen 20 bis 22 Minuten lang oder bis sie goldbraun sind. Nehmen Sie die Brötchen aus dem Ofen und legen Sie sie auf einen Rost, um sie etwa 20 Minuten lang abzukühlen, bevor Sie sie in Scheiben schneiden. Ergibt 8 Brötchen

45. Hotdog Brötchen

1 Tasse Milch, auf 100° erwärmt
3 EL Kristallzucker
½ Tasse aktiver Starter oder ½ Tasse Abfall plus 1 TL. Instanthefe
400 g. Brotmehl oder ungebleichtes Allzweckmehl
2 T. Butter, Zimmertemperatur, plus 2 T. geschmolzene Butter zum Bestreichen der Brötchenoberseite
1 Teelöffel. Salz
In der Schüssel einer Küchenmaschine mit Knethaken Milch und Zucker verrühren, bis sich der Zucker aufgelöst hat. Den Starter (und die Hefe, falls verwendet) hinzufügen und umrühren. Das Mehl hinzufügen und bei niedriger Geschwindigkeit verrühren, bis sich ein Teig bildet. Fügen Sie die zimmerwarme Butter in kleinen Stücken und dann das Salz hinzu; Den Teig bei mittlerer Geschwindigkeit etwa 5 Minuten lang kneten oder bis der Teig glatt ist. Geben Sie den Teig in eine große, gefettete Rührschüssel und decken Sie die Schüssel mit Plastikfolie ab. Lassen Sie den Teig bei Zimmertemperatur gehen, bis sich sein Volumen etwa verdoppelt hat – etwa 3 Stunden, wenn Sie Hefe verwendet haben, oder 8 bis 10 Stunden, wenn Sie nur Starter verwendet haben.
Den Teig auf eine bemehlte Arbeitsfläche geben und in 8 gleich große Portionen teilen. Mit Plastikfolie abdecken und 20 bis 30 Minuten ruhen lassen.
Formen Sie jedes Stück zu einem glatten Baumstamm von etwa 15 cm Länge. Legen Sie die Brötchen mit einem Abstand von mindestens 2,5 cm auf ein Backblech, das mit einer Silikonbackmatte oder Backpapier ausgelegt ist. Decken Sie die Brötchen mit gefetteter Frischhaltefolie oder einem feuchten Küchentuch ab und lassen Sie sie 1 bis 2 Stunden lang gehen, bis sich ihr Volumen etwa verdoppelt hat.
Den Backofen auf 350° vorheizen. Backen Sie die Hot-Dog-Brötchen 28 bis 30 Minuten lang oder bis sie goldbraun sind. Aus dem Ofen nehmen und die Brötchen sofort mit der geschmolzenen Butter bestreichen. Lassen Sie die Brötchen vollständig abkühlen, bevor Sie sie in Scheiben schneiden.
Ergibt 8 Brötchen

46. Kekse über Nacht

Anlasser
240 g. Wasser
240 g. Mehl
1 bis 2 T. Anlasser
Kekse
140 g. (1 Tasse) ungebleichtes Allzweckmehl
1 T. Kristallzucker
1 Teelöffel. Backpulver
½ TL. Salz
120 g. (½ Tasse) kalte Butter, in kleine Würfel schneiden
Starter, den Sie zuvor gemacht haben
Die Nacht davor:
In einer mittelgroßen Rührschüssel alle Starterzutaten verrühren. Decken Sie die Mischung ab und lassen Sie sie über Nacht auf der Arbeitsplatte ruhen, um Kekse zu backen, oder bis sie sich etwa verdoppelt hat und Blasen bildet, wenn Sie sie am selben Tag backen (4 bis 6 Stunden).
Am nächsten Morgen:
In einer großen Rührschüssel Mehl, Zucker, Backpulver und Salz verrühren. Mit einer Gabel oder einem Teigmixer die Butter hineinschneiden, bis die Mischung groben Krümeln ähnelt. Den Starter dazugeben und mit einer Gabel umrühren. Fügen Sie bei Bedarf etwas Mehl oder Milch hinzu, damit der Teig weich und feucht ist und sich kaum vom Schüsselrand löst. Geben Sie den Teig auf eine bemehlte Arbeitsfläche und kneten Sie ihn einige Minuten lang. Fügen Sie nach Bedarf Mehl hinzu, um die Klebrigkeit auf ein Minimum zu reduzieren. Den Teig mit einem bemehlten Nudelholz etwa ½ Zoll dick ausrollen. Schneiden Sie es mit einem bemehlten Keksausstecher oder einem scharfen Messer in 5 cm große Kekse. Legen Sie die Kekse auf ein Backblech, entweder ausgebreitet für knusprigere Seiten oder so, dass sich die Seiten berühren, um weichere Kekse zu erhalten. Die Kekse abdecken und etwa 2 Stunden gehen lassen. Heizen Sie Ihren Backofen auf 375° vor. Backen Sie die Kekse 20 bis 25 Minuten lang oder bis sie eine hellgoldene Farbe haben. Ergibt etwa 8 Kekse

47. Pizza Kruste

240 g. Anlasser
240 g. Wasser
3 EL Olivenöl
360 g. Mehl (Allzweckmehl ist in Ordnung, aber Brotmehl ergibt eine zähere Kruste)
2 TL. Salz Beginnen Sie 1 oder 2 Tage bevor Sie Pizza essen möchten.
In einer mittelgroßen Rührschüssel Starter, Wasser und Olivenöl verrühren. Mehl und Salz hinzufügen und gut umrühren; Der Teig wird weich und fühlt sich klebrig an. Decken Sie die Schüssel mit Plastikfolie ab und lassen Sie den Teig 30 Minuten ruhen.
Den Teig im Abstand von einer halben Stunde insgesamt viermal dehnen und falten, dabei die Schüssel nach jedem Mal abdecken.
Den Teig abdecken und 4 Stunden bei Zimmertemperatur ruhen lassen.
Den Teig auf eine bemehlte Arbeitsfläche geben und in 3 gleiche Portionen aufteilen. Formen Sie den Teig zu Kugeln und geben Sie diese dann in drei gut geölte Vorratsbehälter von etwa einem halben Liter Größe. Decken Sie die Behälter ab (Deckel reichen in diesem Fall aus oder verwenden Sie Plastikfolie, die mit Gummibändern festgehalten wird) und stellen Sie den Teig über Nacht in den Kühlschrank. Sie können den Teig vor der Verwendung etwa fünf Tage lang im Kühlschrank aufbewahren oder ihn, fest in mehrere Lagen Plastikfolie eingewickelt, bis zu einem Monat lang einfrieren.
Wenn Sie zum Backen bereit sind, nehmen Sie den Teig aus dem Kühlschrank und stürzen Sie ihn auf eine bemehlte Arbeitsfläche. Decken Sie den Teig mit einem Handtuch ab und lassen Sie ihn 30 Minuten ruhen. Drücken Sie den Teig vorsichtig mit den Händen flach und dehnen Sie ihn zu einem dünnen Kreis von etwa 25 cm Durchmesser aus. Wenn der Teig zu stark zurückspringt, decken Sie ihn ab, lassen Sie ihn weitere 15 Minuten ruhen und versuchen Sie es dann erneut. Geben Sie die gewünschten Toppings auf die Kruste.
Den Backofen auf 450 bis 500° vorheizen. Backen Sie die Pizza 8 bis 10 Minuten lang oder bis sie fertig ist.
Ergibt 3 Pizzaböden

48. Brezeln

1½ Tassen Starterkultur (wir können sie auch wegwerfen und verwenden)
1 Tasse Milch, leicht warm
2 T. Butter, weich
1 T. Kristallzucker
4 Tassen ungebleichtes Allzweckmehl
1 T. Backpulver
1 Ei mit 1 EL Wasser verquirlt, zum Bestreichen der Oberfläche
2 TL. grobes Salz zum Bestreuen
In der Schüssel einer Küchenmaschine mit Teigaufsatz Starter, Milch, Butter und Zucker auf niedrigster Stufe vermischen. Das Mehl hinzufügen und 5 Minuten bei niedriger Geschwindigkeit verrühren.
Fetten Sie eine große Rührschüssel ein und kratzen Sie den Teig aus der Küchenmaschine in die Rührschüssel. Mit Plastikfolie abdecken und 2 Stunden bei Raumtemperatur stehen lassen.

Den Teig auf eine bemehlte Arbeitsfläche geben und etwa 3 Minuten lang vorsichtig kneten. Den Teig in 12 gleich große Stücke schneiden oder reißen. Rollen Sie jedes Teigstück zu einem etwa 2,5 cm dicken langen Strang. Formen Sie jedes Stück in die Form einer Brezel und legen Sie die Brezeln dann auf Backbleche, die mit einer Silikon-Backmatte oder Pergamentpapier ausgelegt sind; 25 Minuten einfrieren.
Den Backofen auf 450° vorheizen.
Während die Brezeln im Gefrierschrank sind, füllen Sie einen großen Topf mit Wasser und rühren Sie das Backpulver hinein, um es aufzulösen. Erhitze das Wasser bis es stark kocht. Nehmen Sie die Brezeln aus dem Gefrierschrank, legen Sie sie in das kochende Wasser, achten Sie darauf, dass sie nicht überlaufen, und kochen Sie sie 30 Sekunden lang. Die Brezeln mit einem Schaumlöffel herausnehmen und wieder auf die vorbereiteten Backbleche legen. Die Brezeln mit dem Ei bestreichen und mit dem groben Salz bestreuen.
15 bis 18 Minuten backen oder bis es leicht goldbraun ist. Legen Sie die Brezeln zum Abkühlen auf einen Rost.
Ergibt 12 Brezeln

49. Schnelle Kekse

1 Tasse ungebleichtes Allzweckmehl oder Brotmehl
2 TL. Backpulver
½ TL. Salz
½ TL. Backpulver
6 T. sehr kalte Butter, in kleine Würfel schneiden
1 Tasse Starter (wegwerfen ist in Ordnung)
Den Ofen auf 425° vorheizen.
In einer mittelgroßen Rührschüssel Mehl, Backpulver, Salz und Natron verquirlen. Schneiden Sie die Butter mit einer Gabel oder einem Ausstecher in die Mehlmischung, bis die Mischung wie grobe Krümel aussieht. Den Sauerteig dazugeben und mit einem Löffel verrühren, bis das Mehl größtenteils vermischt ist. Kneten Sie den Teig in der Schüssel etwa eine Minute lang mit den Händen, bis sich der Teig zusammenfügt.
Geben Sie den Teig auf eine bemehlte Arbeitsfläche und rollen oder tupfen Sie ihn dann auf eine Dicke von ¾ Zoll. Schneiden Sie die Kekse mit einem bemehlten Keksausstecher oder einem scharfen Messer aus. Sammeln Sie die Reste zusammen, rollen Sie sie erneut aus und schneiden Sie weitere Kekse aus, um so viele Kekse wie möglich zu erhalten. (Normalerweise habe ich am Ende einen kleineren, unförmigen Keks übrig, aber er schmeckt genauso gut wie die hübschen!)
Legen Sie die Kekse auf ein ungefettetes Backblech, entweder ausgebreitet für knusprigere Seiten oder so, dass sich die Seiten berühren, um weichere Kekse zu erhalten.
12 bis 15 Minuten backen oder bis es fertig ist. (Wenn sich die Kekse berühren, kann es noch ein paar Minuten dauern, bis sie vollständig gebacken sind.)
Ergibt etwa 8 Kekse

50. Schnelle Buttermilchkekse

2 Tassen ungebleichtes Allzweckmehl
2 TL. Kristallzucker
2 TL. Backpulver
1 Teelöffel. Salz
¾ TL. Backpulver
½ Tasse (1 Stück) sehr kalte Butter
1 Tasse Aktivstarter
½ Tasse Buttermilch
Den Ofen auf 425° vorheizen. Ein Backblech mit einer Silikon-Backmatte oder Backpapier auslegen und vorerst beiseite stellen.
In einer großen Rührschüssel Mehl, Zucker, Backpulver, Salz und Natron verrühren. Schneiden Sie die Butter in sehr kleine Stücke oder zerkleinern Sie sie mit den großen Löchern einer Küchenreibe. Zur Mehlmischung hinzufügen und umrühren, um die Butterstücke zu vermischen.
In einer mittelgroßen Rührschüssel den Starter und die Buttermilch verrühren. Geben Sie die Startermischung zur Mehlmischung und rühren Sie (ein Gummispatel eignet sich gut, da Sie die Seiten der Schüssel während der Arbeit reinigen können), bis sich ein weicher Teig zu bilden beginnt. Geben Sie den Teig auf eine leicht bemehlte Arbeitsfläche und kneten Sie ihn mehrmals, bis er sich verbindet.
Rollen Sie den Teig aus oder tupfen Sie ihn auf eine Dicke von etwa 3,5 cm. Schneiden Sie es mit einem 2-Zoll-Ausstecher oder einem scharfen Messer in 8 bis 10 Kekse. Legen Sie die Kekse auf ein ungefettetes Backblech, entweder ausgebreitet für knusprigere Seiten oder so, dass sich die Seiten berühren, um weichere Kekse zu erhalten.
12 bis 15 Minuten backen oder bis es fertig ist. (Wenn sich die Kekse berühren, kann es noch ein paar Minuten dauern, bis sie vollständig gebacken sind.)
Ergibt 8 bis 10 Kekse

51. Rustikales Fladenbrot

2 Tassen ungebleichtes Allzweckmehl
1 Teelöffel. Salz
1 Teelöffel. Backpulver
1 Tasse Starter verwerfen
½ Tasse Milch
1 T. Olivenöl, plus etwas mehr zum Backen und zum Bestreichen des Fladenbrots
Toppings nach Wahl (optional)
In einer großen Rührschüssel Mehl, Salz und Backpulver vermischen.
Den Sauerteig, die Milch und 1 Esslöffel Olivenöl hinzufügen und mit einem großen Löffel verrühren, bis sich ein Teig zu formen beginnt. (Ich benutze meine Hände, nachdem ich ein wenig mit dem Löffel umgerührt habe.)
Geben Sie den Teig auf eine bemehlte Arbeitsfläche und kneten oder dehnen und falten Sie ihn einige Minuten lang vorsichtig. Fügen Sie nach Bedarf Mehl hinzu, bis der Teig glatt und nicht mehr klebrig ist. Wickeln Sie die Teigkugel in Plastikfolie ein und lassen Sie sie 30 Minuten lang bei Raumtemperatur ruhen.
Eine gusseiserne Pfanne auf mittlere bis hohe Hitze vorheizen.
Schneiden Sie den Teig in 6 gleich große Portionen und rollen Sie jedes Stück etwa ¼ Zoll dick aus. Bestreichen Sie eine Seite des Fladenbrots leicht mit Olivenöl und legen Sie es mit der geölten Seite nach unten auf die erhitzte Pfanne. Das Fladenbrot etwa 1½ Minuten braten; Bestreichen Sie die Oberseite des Fladenbrots mit Öl und drehen Sie es dann um, um die zweite Seite etwa 1 Minute lang zu braten. Alle Stücke auf die gleiche Weise frittieren und die Fladenbrote auf einem Teller stapeln, der mit einem doppelten Küchentuch bedeckt ist, um sie warm zu halten.
Diese Fladenbrote schmecken pur großartig, aber wenn Sie sie umdrehen, um die zweite Seite zu backen, können Sie sie mit dem Belag Ihrer Wahl bestreuen. Einige gute Optionen sind grobes Salz, gehackter Knoblauch und/oder Zwiebeln, fein geriebener Hartkäse und frisch geschnittene oder getrocknete Kräuter.
Macht 6

52. Salbei-Croutons

6 Scheiben Sauerteigbrot, gewürfelt
4 EL Olivenöl
4 T. Butter, geschmolzen
4 T. gehackter frischer Salbei
Die Brotwürfel in eine kleine Schüssel geben; Mit Öl, zerlassener Butter und Salbei beträufeln. Zum Überziehen wenden.
Backen Sie die Brotwürfel auf dem Herd bei mittlerer Hitze goldbraun und rühren Sie sie dabei um, sodass sie von allen Seiten gebraten werden (6 bis 8 Minuten).
Die Mengen variieren je nach Größe der Scheiben, aber ich erhalte normalerweise etwa 6 Tassen.

53. Langsam aufgehende Roggenbagels

Anlasser
1 Tasse ungebleichtes Allzweck- oder Brotmehl
1 Tasse Wasser
½ Tasse Aktivstarter
½ Tasse Roggenmehl
Bagels
2 Tassen Roggenmehl
1 T. Gerstenmalzsirup, oder Sie können eine gleiche Menge Honig, Melasse oder braunen Zucker ersetzen
2 TL. Kümmel
1 Teelöffel. Salz
1 T. Backpulver (zum Vorkochen am zweiten Tag)
1 T. brauner Zucker (zum Vorkochen am zweiten Tag)
Die Nacht davor:
Abends alle Zutaten für die Vorspeise in einer großen Rührschüssel vermischen, die Schüssel mit Plastikfolie abdecken und über Nacht auf die Arbeitsplatte stellen.
Am nächsten Morgen:
In die Schüssel mit dem aktiven Starter alle Zutaten für den Bagel geben und so gut wie möglich vermischen. Decken Sie die Schüssel ab und lassen Sie den Teig 30 Minuten ruhen (er wird zottelig und nicht sehr zusammenhängend). Geben Sie den Teig nach der Ruhezeit auf eine bemehlte Arbeitsfläche und kneten Sie ihn 10 Minuten lang. Sie können ihn auf herkömmliche Weise kneten oder ihn während der vorgegebenen Zeit kontinuierlich dehnen und falten. Fügen Sie beim Kneten bei Bedarf mehr Roggenmehl hinzu. (Das wird harte Arbeit!)
Decken Sie den Teig locker mit Plastikfolie ab, lassen Sie ihm genügend Platz zum Ausdehnen und lassen Sie ihn 8 bis 12 Stunden lang oder bis er sich etwa verdoppelt hat bei Zimmertemperatur ruhen.
Den Teig auf eine leicht bemehlte Arbeitsfläche geben und in 16 gleich große Portionen schneiden. Decken Sie die Portionen ab und lassen Sie sie 30 Minuten bei Zimmertemperatur ruhen, damit sich der Teig etwas entspannt. Rollen Sie jedes Teigstück mit Ihren

Händen zu einem 15 cm langen Strang und formen Sie dann den Teig zu einem Kreis. Drücken Sie die Enden zusammen, um eine Donutform zu erhalten. Legen Sie die Bagels mit einem Abstand von mindestens 2,5 cm auf ein großes Backblech, das mit einem Silikonbackblech oder einem Stück gefettetem Backpapier ausgelegt ist. Decken Sie sie mit Plastikfolie ab und lassen Sie sie 1 Stunde lang bei Raumtemperatur gehen. Die noch abgedeckten Bagels über Nacht in den Kühlschrank stellen.

Nehmen Sie die Bagels morgens aus dem Kühlschrank und lassen Sie sie mindestens eine Stunde lang oder bis sie Zimmertemperatur haben bei Zimmertemperatur ruhen.

Den Ofen auf 425° vorheizen. Bereiten Sie ein großes Backblech vor (möglicherweise müssen Sie 2 Backbleche verwenden), indem Sie es mit einer Silikon-Backmatte oder Pergamentpapier auslegen.

Füllen Sie einen großen Topf mit Wasser und fügen Sie je 1 Esslöffel Backpulver und braunen Zucker hinzu; mischen, bis es aufgelöst ist. Bringen Sie das Wasser zum Kochen.

Geben Sie die Bagels in das kochende Wasser und achten Sie darauf, dass sie nicht überlaufen. 20 Sekunden lang kochen lassen, umdrehen und die zweite Seite etwa 15 Sekunden lang kochen lassen. Nehmen Sie sie mit einem Schaumlöffel heraus und legen Sie sie auf ein sauberes Küchentuch. Wenn alle Bagels vorgekocht sind, legen Sie sie zurück auf das Backblech und backen Sie sie 20 bis 30 Minuten lang oder bis sie oben goldbraun und fertig sind. Legen Sie sie zum Abkühlen auf einen Rost.

Ergibt 12 Bagels

54. Weizenbagels

2½ bis 3 Tassen ungebleichtes Allzweckmehl
1 Tasse Aktivstarter
1 Tasse Vollkornmehl
1 Tasse Wasser
3 T. brauner Zucker, geteilt
2 TL. Salz
1½ TL. Instanthefe
1 Ei, verquirlt mit 2 EL Wasser zum Bestreichen der Bagels
Mischen Sie in einer großen Rührschüssel 2½ Tassen Allzweckmehl mit der Vorspeise, Vollkornmehl, Wasser, 2 Esslöffeln braunem Zucker sowie Salz und Hefe. Geben Sie den Teig auf eine bemehlte Arbeitsfläche und kneten Sie ihn etwa 5 Minuten lang. Geben Sie nach Bedarf das restliche Mehl hinzu, verwenden Sie jedoch so wenig wie möglich.
Geben Sie den Teig in eine große, gefettete Schüssel und decken Sie die Schüssel mit Plastikfolie ab. Den Teig 30 Minuten bei Zimmertemperatur gehen lassen.

Den Teig auf eine leicht bemehlte Arbeitsfläche geben und in 12 gleich große Portionen schneiden. Rollen Sie jedes Teigstück mit Ihren Händen zu einem 15 cm langen Strang und formen Sie dann den Teig zu einem Kreis. Drücken Sie die Enden zusammen, um eine Donutform zu erhalten. Legen Sie die Bagels auf ein Silikon-Backblech oder ein Stück gefettetes Backpapier. Decken Sie die Bagels mit Plastikfolie ab und lassen Sie sie 1 Stunde lang bei Raumtemperatur gehen.
Den Ofen auf 425° vorheizen. Ein großes Backblech mit einer Silikon-Backmatte oder Backpapier auslegen. Vorerst beiseite legen.
Füllen Sie einen großen Topf mit Wasser und rühren Sie den restlichen Esslöffel braunen Zucker hinein. Bringen Sie das Wasser zum Kochen.
Lassen Sie die Bagels nacheinander in das kochende Wasser fallen und achten Sie darauf, dass sie sich nicht überfüllen. Kochen Sie sie etwa 20 Sekunden lang und drehen Sie sie dann um (verwenden Sie einen Schaumlöffel), um die zweite Seite weitere 15 bis 20 Sekunden lang kochen zu lassen. Nehmen Sie die Bagels heraus und legen Sie sie auf das vorbereitete Backblech. Bestreichen Sie die Oberseite der Bagels mit dem Ei und backen Sie sie 25 Minuten lang oder bis sie oben gebräunt sind. Zum Abkühlen auf ein Kuchengitter legen.
Ergibt 12 Bagels

55. Pizzaboden aus Weizen

1½ Tassen aktiver Starter
¾ Tasse Vollkornmehl
¾ Tasse ungebleichtes Allzweck- oder Brotmehl
2 T. Pflanzenöl
1 T. Schatz
1 Teelöffel. Salz
1 gehäufter TL. getrocknete Oreganoblätter
1 gehäufter TL. getrocknete Basilikumblätter
¼ TL. Knoblauchpulver
¼ TL. Zwiebelpulver
¼ Tasse Wasser, mehr oder weniger

In einer großen Rührschüssel Vorspeise, Mehl, Öl, Honig, Salz, Kräuter und Gewürze vermischen. Fügen Sie das Wasser hinzu, jeweils eine kleine Menge, und vermischen Sie es dabei. Geben Sie dabei gerade so viel Wasser hinzu, dass keine trockenen Mehlstückchen zurückbleiben. Kneten Sie die Teigkugel ein oder zwei Minuten lang, decken Sie die Schüssel mit Frischhaltefolie oder einem feuchten Küchentuch ab und lassen Sie sie zwei bis drei Stunden lang bei Raumtemperatur ruhen.
Den Backofen auf 450° vorheizen. Schneiden Sie ein Stück Pergamentpapier ab, das etwas größer ist als die Pizza, der Backstein oder die gusseiserne Pfanne, die Sie zum Backen des Bodens verwenden möchten, und legen Sie es zunächst beiseite. Legen Sie ein Backblech auf die unterste Schiene des Ofens und stellen Sie dann zum Vorheizen einen Pizzastein oder eine gusseiserne Pfanne auf die mittlere Schiene des Ofens.
Das Backpapier leicht bemehlen. Bemehlen Sie den Teig leicht und rollen Sie ihn dann aus oder tupfen Sie ihn so, dass er auf das Backpapier passt. Stechen Sie mit einer Gabel einige Löcher in den Teig und lassen Sie den Teig dann 15 Minuten bei Zimmertemperatur ruhen.
Übertragen Sie den Boden (noch auf dem Backpapier) auf den vorgeheizten Pizzastein oder die Pfanne und backen Sie ihn 8 Minuten lang. Aus dem Ofen nehmen und Belag nach Wahl hinzufügen. Schieben Sie die Pizza zurück in den Ofen und backen Sie sie weitere 12 bis 15 Minuten oder bis sie fertig ist.
Ergibt 1 großen Pizzaboden

FRÜHSTÜCKSTÜCKE

56. gebratene Apfelscheiben

3 Tassen gewürfelte Äpfel, geschält oder mit Schale belassen
1 Tasse Starter (wegwerfen ist in Ordnung)
½ TL. Zimt
¼ TL. Salz
¼ TL. Backpulver
Öl zum braten
Zimtzucker zum Bestreuen (optional)
Geben Sie die gewürfelten Äpfel in eine große Rührschüssel. Fügen Sie langsam den Starter hinzu und mischen Sie dabei vorsichtig, bis alles gut vermischt ist. (Sie möchten, dass die Apfelstücke gut mit dem Starter überzogen sind, daher müssen Sie möglicherweise etwas mehr Starter hinzufügen, um dies zu erreichen – das hilft, die Krapfen beim Frittieren zusammenzuhalten.)
Zimt, Salz und Backpulver verquirlen und die Mischung vorsichtig unter die Äpfel rühren. Lassen Sie die Mischung ruhen, während Sie das Öl zum Braten erhitzen.
Geben Sie etwa 5 cm Öl in eine schwere Gusseisenpfanne mit tiefem Rand und erhitzen Sie es auf 360 bis 370 °C. Lassen Sie den Krapfenteig in das heiße Öl fallen und achten Sie darauf, dass er nicht überfüllt wird. Auf jeder Seite 2 bis 3 Minuten braten, bis sie goldbraun sind. Legen Sie die Krapfen mit einem Schaumlöffel auf Papiertücher und lassen Sie sie abtropfen. Bei Bedarf mit Zimtzucker bestreuen und servieren.
Ergibt etwa 20 kleine Krapfen oder 12 große Krapfen

57. Apfelkrapfen im Handumdrehen

Restliche Vorspeise (¼ Tasse für kleine Mengen, bis zu 1 Tasse oder mehr für eine Familie)
2 bis 4 Äpfel, entkernt, geschält und gewürfelt
¼ bis ½ TL. Zimt
⅛ bis ¼ TL. Backpulver
⅛ TL. Salz
2 bis 4 T. Kristallzucker (optional)
Hinweis: Sie müssen den übrig gebliebenen Starter nicht wegwerfen, nachdem Sie eine neue Charge aufgefrischt haben. Probieren Sie stattdessen dieses Rezept aus. Die Mengenangaben können Sie sich gut anschauen, denn mit diesem einfachen Rezept kann nichts schief gehen.
Mischen Sie alle Zutaten, bis alles gut vermischt ist, und fügen Sie nach Belieben den Zucker hinzu, wenn Sie süßere Krapfen bevorzugen. Erhitzen Sie etwa ½ Zoll Öl in einer gusseisernen Pfanne (falls vorhanden) oder einer anderen geeigneten Pfanne. Verwenden Sie Öl mit einem hohen Rauchpunkt, z. B. Avocadoöl oder Ghee (obwohl ich oft Schmalz oder Pflanzenöl verwende und keine Probleme habe, wenn ich genau auf meine Pfanne achte). Einen oder zwei Esslöffel Teig pro Fladen in das heiße Öl geben und auf einer Seite etwa 3 Minuten backen; wenden und auf der anderen Seite 2 bis 3 Minuten garen, bis es gar ist. Tupfen Sie die Krapfen auf Papiertüchern ab und essen Sie sie pur oder mit Ahornsirup, Zimtzucker oder Puderzucker darüber. Oder machen Sie eine Glasur aus Puderzucker und Milch, geben Sie die Milch in kleinen Mengen hinzu und rühren Sie dann um, bis Sie die gewünschte Konsistenz haben.
Die Mengen variieren je nachdem, wie viel Starter übrig ist

58. Apfel Pfannkuchen

180 g. Milch
120 g. ungebleichtes Allzweckmehl
225 g. Anlasser
14 g. Butter, geschmolzen und leicht abgekühlt
14 g. Backpulver
13 g. Kristallzucker (verwenden Sie etwas mehr, wenn Ihr Apfel säuerlich ist)
6 g. Salz
5 g. Zimt
1 Apfel, geschält, entkernt, in Achtel geschnitten und quer in dünne Scheiben geschnitten
In einer mittelgroßen Rührschüssel Milch und Mehl vermischen. 20 Minuten bei Zimmertemperatur ruhen lassen.
Die restlichen Zutaten hinzufügen und gut verrühren. Die Apfelscheiben unterheben.
Gießen Sie ¼ Tasse Teig pro Pfannkuchen in eine erhitzte und gefettete Pfanne oder Pfanne und kochen Sie sie etwa 3 Minuten lang. Drehen Sie die Pfannkuchen um und backen Sie die zweite Seite, bis sie fertig sind (ca. 2 Minuten).
Die Anzahl der Pfannkuchen variiert je nach Größe der einzelnen Pfannkuchen

59. Frühstücksauflauf mit Speck

4 bis 5 Tassen Sauerteigbrot, in 2,5 cm große Würfel geschnitten
8 Eier
1¼ Tassen Milch
1 Tasse geriebener Cheddar-Käse
½ TL. Salz
½ TL. Pfeffer
2 T. gehackte Frühlingszwiebeln (optional)
12 Scheiben Speck, gekocht und zerbröselt
Die Nacht davor:
Buttern oder fetten Sie eine 9 × 13 Zoll große Auflaufform. Die Brotwürfel gleichmäßig auf dem Boden verteilen.
In einer großen Rührschüssel die Eier schlagen; Milch, Käse, Salz, Pfeffer und Frühlingszwiebeln (falls verwendet) hinzufügen und vermischen. Den Speck hinzufügen und erneut verrühren, bis alles gut vermischt ist. Gießen Sie die Eiermischung über die Brotwürfel in der Auflaufform und rühren Sie die Mischung vorsichtig um und drücken Sie sie so an, dass die Eier bis zum Boden der Auflaufform vordringen und alle Zutaten vollständig eingearbeitet sind. Decken Sie den Auflauf mit Alufolie ab und stellen Sie ihn über Nacht in den Kühlschrank. (Wenn Sie es am selben Morgen zubereiten, an dem Sie es essen möchten, lassen Sie den Auflauf vor dem Backen etwa 45 Minuten bei Raumtemperatur stehen.)
Am nächsten Morgen:
Den Backofen auf 350° vorheizen. Backen Sie den Auflauf 30 Minuten lang, entfernen Sie dann die Aluminiumfolie und backen Sie weitere 25 bis 35 Minuten weiter oder bis ein in der Mitte eingesetztes Messer sauber herauskommt. Vor dem Servieren 5 Minuten abkühlen lassen.
Für 8 Personen

60. Blaubeerepfannkuchen

1½ Tassen Vorspeise (wegwerfen ist in Ordnung)
1 Tasse Milch (Raumtemperatur, wenn Sie Zeit haben)
2 Eier (Raumtemperatur, wenn Sie Zeit haben)
¼ Tasse Butter, geschmolzen und leicht abgekühlt
1 Teelöffel. Vanilleextrakt
1½ Tassen ungebleichtes Allzweckmehl
1 Teelöffel. Backpulver
1 Teelöffel. Backpulver
½ TL. Salz
1 Pkt. Blaubeeren (Sie können frische, aus der Dose stammende und abgetropfte oder gefrorene, aufgetaute und abgetropfte Beeren verwenden)
In einer großen Rührschüssel Vorspeise, Milch, Eier, Butter und Vanilleextrakt verrühren. Die trockenen Zutaten einzeln untermischen, bis alles gut vermischt ist. Die Blaubeeren vorsichtig unterheben.
Gießen Sie ¼ Tasse Teig pro Pfannkuchen in eine erhitzte und gefettete Pfanne oder Pfanne und kochen Sie ihn etwa 3 Minuten lang. Drehen Sie die Pfannkuchen um und backen Sie die zweite Seite, bis sie fertig sind (ca. 2 Minuten).
Die Anzahl der Pfannkuchen variiert je nach Größe der einzelnen Pfannkuchen, aber dieses Rezept reicht für eine Familie

61. Blaubeerwaffeln

2 Tassen Aktivstarter
1 Tasse frische Blaubeeren
2 Eier, Eigelb getrennt
2 T. Butter, geschmolzen und leicht abgekühlt
2 TL. Kristallzucker
1 Teelöffel. Salz
½ bis 1 Tasse ungebleichtes Allzweckmehl
½ TL. Backpulver in 1 T Wasser aufgelöst
In einer mittelgroßen Schüssel Vorspeise, Blaubeeren, Eigelb, Butter, Zucker und Salz gut vermischen. Geben Sie nach und nach das Mehl hinzu, bis eine dicke, aber rieselfähige Konsistenz entsteht und der Teig klumpenfrei ist.
Das Eiweiß schlagen, bis sich weiche Spitzen bilden, und dann vorsichtig unter den Teig heben.
Kurz vor dem Kochen das aufgelöste Backpulver vorsichtig einrühren.
Backen Sie die Waffeln gemäß den Anweisungen Ihres Waffeleisens.
Die Waffeln mit Butter und Sirup oder Puderzucker belegen.
Ergibt 4 bis 6 Waffeln

62. Brunch-Auflauf

Butter zum Bestreichen
6 Scheiben Sauerteigbrot, mehr oder weniger (Sie benötigen 4 bis 5 Tassen)
1 Pfund große Schweinswurst, gerade so lange gekocht, dass die rosa Farbe herauskommt, und dann abgetropft
2 Tassen Cheddar-Käse, gerieben
½ rote Paprika, in kleine Stücke schneiden
¼ Tasse gehackte Frühlingszwiebeln
3 Eier, geschlagen
1 Dose kondensierte Spargelcremesuppe
2 Tassen Milch
¼ Tasse Hühnerbrühe oder Weißwein
½ TL. dijon Senf
¼ TL. gemahlener schwarzer Pfeffer
Die Nacht davor:
Das Brot mit Butter bestreichen und in Würfel schneiden; In eine gefettete oder gebutterte 9 × 13 Zoll große Auflaufform geben. Das Brot mit Wurst, Käse, Paprika und Frühlingszwiebeln bestreuen.
In einer mittelgroßen Rührschüssel Eier, Suppe, Milch, Brühe oder Wein, Senf und Pfeffer verrühren. Über die Brotmischung gießen. Decken Sie die Auflaufform mit Plastikfolie ab und stellen Sie sie über Nacht in den Kühlschrank.
Am nächsten Tag:
Den Auflauf 30 Minuten vor dem Backen aus dem Kühlschrank nehmen. Den Backofen auf 350° vorheizen. Decken Sie den Auflauf ab und backen Sie ihn 45 bis 55 Minuten lang oder bis ein in der Mitte eingesetztes Messer sauber herauskommt.
Vor dem Schneiden 5 Minuten stehen lassen.
Für 8 Personen

63. Buchweizen-Pfannkuchen

1 Tasse ungebleichtes Allzweckmehl
1 Tasse Buchweizenmehl
2 EL Kristallzucker
2 TL. Backpulver
1 Teelöffel. Backpulver
½ TL. Salz
1½ Tassen Milch
1 Tasse frisch gefütterter Starter
1 Ei, geschlagen
2 T. Öl

In einer großen Rührschüssel Mehl, Zucker, Backpulver, Natron und Salz verrühren. Milch, Sauerteig, Ei und Öl hinzufügen und vorsichtig verrühren. Wenn der Teig zu dick erscheint, können Sie ihn mit etwas Milch oder Wasser verdünnen.

Gießen Sie nicht mehr als ¼ Tasse Teig pro Pfannkuchen in eine erhitzte und gefettete Pfanne oder Pfanne und lassen Sie den Teig etwa 3 Minuten lang backen. Drehen Sie die Pfannkuchen um und backen Sie die zweite Seite, bis sie fertig sind (ca. 2 Minuten).

Mit Butter, Sirup oder Marmelade servieren.

Die Anzahl der Pfannkuchen variiert je nach Größe der einzelnen Pfannkuchen, aber dieses Rezept reicht für eine Familie

64. Buttermilchpfannkuchen

2 Tassen Allzweckmehl
2 EL Kristallzucker
1½ TL. Backpulver
½ TL. Backpulver
½ TL. Salz
1⅓ Tassen Buttermilch
1 Tasse frisch gefütterter Starter
1 Ei, geschlagen
2 T. Pflanzenöl

In einer Rührschüssel Mehl, Zucker, Backpulver, Natron und Salz verrühren. Die restlichen Zutaten hinzufügen und vorsichtig vermischen.

Gießen Sie ¼ Tasse Teig pro Pfannkuchen in eine erhitzte und gefettete Pfanne oder Pfanne und kochen Sie ihn etwa 3 Minuten lang. Drehen Sie die Pfannkuchen um und backen Sie die zweite Seite, bis sie fertig sind (ca. 2 Minuten).

Die Anzahl der Pfannkuchen variiert je nach Größe der einzelnen Pfannkuchen, aber dieses Rezept reicht für eine Familie

65. Zimtrollen

Teig
160 g. Milch
115 g. geschmolzene Butter
1 Ei
100 g. aktiver Anlasser
24 g. Kristallzucker
360 g. ungebleichtes Allzweckmehl
5 g. Salz
Zimtfüllung
2 EL Butter
½ Tasse Kristallzucker
1 T. Mehl
3 TL. Zimt
Glasur
2 T. Butter, auf Raumtemperatur erweicht
½ Tasse geschlagener Frischkäse, Zimmertemperatur
½ Tasse Puderzucker
1 bis 2 T. Milch nach Bedarf
Die Nacht davor:
In einer kleinen Rührschüssel Milch und Butter verrühren. Lassen Sie die Mischung abkühlen, bis sie leicht lauwarm ist. Ei, Sauerteig und Kristallzucker mit einer Küchenmaschine und normalen Rührgeräten vermischen. gut vermischen. Geben Sie bei laufendem Mixer langsam die Milchmischung hinzu und verrühren Sie dabei die ganze Zeit. Geben Sie nach und nach das Mehl und das Salz hinzu und vermischen Sie es etwa zwei Minuten lang weiter, wobei Sie beim Mischen die Seiten abkratzen. Decken Sie die Schüssel mit einem feuchten Küchentuch ab und lassen Sie den Teig 30 Minuten ruhen.
Befestigen Sie den Knethaken am Mixer und kneten Sie den Teig 6 bis 8 Minuten lang bei mittlerer bis niedriger Geschwindigkeit. Wenn der Teig sehr klebrig ist und sich nicht vom Rand löst, noch etwas Mehl hinzufügen.
Eine mittelgroße Rührschüssel mit Butter oder Fett bestreichen und den Teig in die Schüssel geben. Decken Sie die Schüssel mit

Frischhaltefolie ab und lassen Sie den Teig 30 Minuten bei Raumtemperatur ruhen. Führen Sie im Abstand von 30 Minuten zwei Dehn- und Faltsitzungen durch und decken Sie dabei die Schüssel zwischen den einzelnen Sitzungen ab. Decken Sie die Schüssel mit Frischhaltefolie ab und lassen Sie den Teig über Nacht bei Zimmertemperatur gehen.
Am nächsten Morgen:
Eine 9-Zoll-Kuchenform mit Backpapier auslegen und das Papier leicht besprühen. Vorerst beiseite legen.
Fetten Sie Ihre Arbeitsfläche ein und bemehlen Sie sie anschließend. Machen Sie die vorbereitete Fläche groß genug, um den Teig zu einem 30 x 40 cm großen Rechteck auszurollen. Den Teig vorsichtig in die Mitte der vorbereiteten Arbeitsfläche stürzen. Lassen Sie den Teig etwa 15 Minuten ruhen, um den Teig zu entspannen. Diese Ruhezeit ermöglicht das Ausrollen des Teigs. Um den Teig zu einem 12 x 16 Zoll großen Rechteck auszurollen, bemehlen Sie zunächst die Oberfläche des Teigs und bestäuben Sie ihn mit dem Nudelholz. Wenn sich der Teig nicht ausrollen lässt und zurückspringt, lassen Sie ihn noch etwa 5 Minuten ruhen und rollen Sie ihn dann erneut aus.
Sobald der Teig ausgerollt ist, bereiten Sie die Zimtfüllung zu, indem Sie die Butter schmelzen und etwas abkühlen lassen. Während die geschmolzene Butter abkühlt, vermischen Sie in einer anderen kleinen Schüssel die restlichen Zutaten für die Zimtfüllung.
Die geschmolzene Butter auf die Teigoberfläche streichen; Bestreuen Sie die Teigoberfläche mit der Zimt-Zucker-Mischung und lassen Sie an den Rändern einen Zentimeter frei vom Zimtzucker.
Rollen Sie den Teig von einer 16-Zoll-Seite zur anderen 16-Zoll-Seite zu einem festen Block (Sie müssen möglicherweise Ihre Hände bemehlen oder einölen, wenn der Teig sehr klebrig ist). Wenn Sie mit dem Rollen des Stammes fertig sind, stellen Sie sicher, dass die Nahtseite nach unten (auf der Arbeitsfläche) liegt. Schneiden Sie den Baumstamm in 8 etwa 5 cm dicke Stücke und legen Sie diese in

die vorbereitete Kuchenform. Mit einem Küchentuch abdecken und etwa 2 Stunden gehen lassen, bis sie leicht geschwollen sind.
Den Backofen auf 350° vorheizen.
Backen Sie die Zimtschnecken 30 bis 40 Minuten lang oder bis die Oberseite leicht goldbraun ist. Lassen Sie die Zimtschnecken 15 Minuten in der Pfanne ruhen, bevor Sie sie, immer noch auf dem Pergamentpapier, zum weiteren Abkühlen auf einen Rost legen. Während die Zimtschnecken abkühlen, mischen Sie die Glasurzutaten; Verwenden Sie einen Elektromixer für eine gleichmäßigere Glasur und fügen Sie nach und nach Milch hinzu, bis Sie die gewünschte Konsistenz zum Verteilen erreicht haben. Wenn die Zimtschnecken abgekühlt sind, die Glasur darauf verteilen.
Ergibt 8 Rollen

66. Dänisches Baby

Anlasser
160 g. Wasser
160 g. Mehl
1 bis 2 T. Anlasser
Dänisches Baby
6 EL Butter
320 g. Vorspeise (am Vorabend zubereitet)
6 Eier, geschlagen
⅓ Tasse Milch
½ TL. Salz
Die Nacht davor:
In einer großen Rührschüssel alle Zutaten für die Vorspeise vermischen. Decken Sie die Schüssel ab und stellen Sie sie zum Gehen über Nacht auf die Arbeitsfläche.
Am nächsten Morgen:
Den Ofen auf 425° vorheizen. Geben Sie die Butter in eine große gusseiserne Pfanne mit tiefem Rand oder in einen Schmortopf. Stellen Sie die Pfanne in den Ofen, um die Butter zu schmelzen. Achten Sie dabei darauf, dass die Butter schmilzt, aber nicht anbrennt.
Während die Butter schmilzt und der Ofen vorheizt, geben Sie in die große Schüssel mit der Vorspeise die Eier, die Milch und das Salz. Mischen, bis der Teig sehr glatt ist.
Nehmen Sie die Pfanne mit Topflappen aus dem Ofen und kippen Sie sie, sodass die Innenseite beschichtet ist. Gießen Sie den Teig in die Pfanne und stellen Sie ihn wieder in den Ofen. 15 bis 20 Minuten backen oder bis das Dutch Baby oben goldbraun ist und sich an den Rändern der Pfanne aufgebläht hat.
Schneiden Sie das Dutch Baby wie einen Kuchen. Servieren Sie die Scheiben pur oder mit etwas Butter, Puderzucker, Ahornsirup oder frischen Beeren.
Für 4 bis 6 Personen

67. Heißes Müsli

2 Tassen Vorspeise
1½ Tassen Wasser
¼ TL. Salz
In einem mittelgroßen Topf Starter, Wasser und Salz vermischen. Zum Kochen bringen und dabei gelegentlich umrühren, damit der Boden nicht anbrennt. Reduzieren Sie die Temperatur auf niedrige Hitze und kochen Sie noch ein paar Minuten weiter oder bis es leicht eingedickt ist. Mit etwas Milch, einem Stück Butter und Zucker nach Geschmack servieren.
Ergibt etwa 4 Portionen

68. Leichte und luftige Waffeln

2 Tassen Aktivstarter
2 Eier, Eigelb getrennt
¼ Tasse Milch
2 T. Butter, geschmolzen und leicht abgekühlt
1 T. Kristallzucker
1 Teelöffel. Salz
½ bis 1 Tasse ungebleichtes Allzweckmehl
In einer mittelgroßen Rührschüssel Starter, Eigelb, Milch, Butter, Zucker und Salz verrühren. Fügen Sie nach und nach so viel Mehl hinzu, dass ein rieselfähiger, aber dicker Teig entsteht, und vermischen Sie ihn gut, sodass der Teig keine Klümpchen mehr aufweist. Decken Sie die Schüssel ab und lassen Sie sie 1½ Stunden lang bei Raumtemperatur stehen.
Schlagen Sie das Eiweiß, bis sich weiche Spitzen bilden, und heben Sie es dann vorsichtig unter den Teig.
Backen Sie die Waffeln gemäß den Anweisungen Ihres Waffeleisens.
Belegen Sie die Waffeln mit Butter, Sirup, Marmelade oder Obst und gesüßter Schlagsahne.
Ergibt etwa 6 Waffeln

69. Pfannkuchen aus Haferflocken

1 Tasse Starter (wegwerfen ist in Ordnung)
1 Tasse Haferflocken (altmodische ungekochte Haferflocken)
1 Tasse Milch
1 Ei, geschlagen
2 T. Butter, geschmolzen, plus mehr Butter oder Öl zum Kochen
2 EL Kristallzucker
1 Teelöffel. Backpulver
1 Teelöffel. Backpulver
½ TL. Salz

In einer großen Rührschüssel die Vorspeise, die Haferflocken und die Milch vermischen. abdecken und 30 Minuten auf der Arbeitsfläche ruhen lassen.

Ei, geschmolzene Butter, Zucker, Backpulver, Natron und Salz vorsichtig unterrühren.

Gießen Sie ¼ Tasse Teig pro Pfannkuchen in eine erhitzte und gefettete Pfanne oder Pfanne (Gusseisen eignet sich gut) und lassen Sie den Teig etwa 3 Minuten lang kochen. Drehen Sie die Pfannkuchen um und backen Sie die zweite Seite, bis sie fertig sind (ca. 2 Minuten). Pur oder mit Butter, Ahornsirup oder Marmelade servieren.

Die Anzahl der Pfannkuchen variiert je nach Größe der einzelnen Pfannkuchen

70. Pfannkuchen über Nacht

Anlasser
1½ Tassen ungebleichtes Allzweckmehl
1 Tasse Milch
½ Tasse Starterkultur (entsorgen, kann auch verwendet werden)
Teig
2 Eier
2 T. Butter, geschmolzen und dann leicht abgekühlt
2 EL Kristallzucker
1 Teelöffel. Backpulver
½ TL. Salz
Die Nacht davor:
Mehl, Milch und Sauerteig in einer großen Schüssel vermischen. abdecken und über Nacht auf der Theke stehen lassen.
Am nächsten Morgen:
In einer separaten Schüssel Eier, Butter, Zucker, Backpulver und Salz vermischen. Diese Mischung in die Startermischung geben und vorsichtig umrühren. Die Schüssel abdecken und etwa 15 Minuten ruhen lassen.
Gießen Sie ¼ Tasse Teig pro Pfannkuchen in eine erhitzte und gefettete Pfanne oder Pfanne und kochen Sie ihn etwa 3 Minuten lang. Drehen Sie die Pfannkuchen um und backen Sie die zweite Seite, bis sie fertig sind (ca. 2 Minuten).
Die Anzahl der Pfannkuchen variiert je nach Größe der einzelnen Pfannkuchen

71. Kürbispfannkuchen

2 Eier, Eigelb getrennt
300 g. Buttermilch
150 g. aktiver Anlasser
80 g. Kürbispüree (einfach)
180 g. ungebleichtes Allzweckmehl
2 EL Kristallzucker
1 Teelöffel. Salz
1 Teelöffel. Backpulver
1 Teelöffel. Backpulver
½ bis ¾ TL. Zimt
⅛ TL. gemahlene Muskatnuss (optional)
¼ Tasse Butter (½ Stück), geschmolzen
Die Eier trennen: Das Eiweiß in eine mittelgroße Rührschüssel geben und zunächst beiseite stellen; Geben Sie das Eigelb in eine andere mittelgroße Rührschüssel. Das Eigelb verquirlen, damit es aufbricht. Buttermilch, Vorspeise und Kürbispüree hinzufügen und erneut verrühren, um die Zutaten zu vermischen.
In einer großen Rührschüssel Mehl, Zucker, Salz, Natron, Backpulver, Zimt und Muskatnuss (falls verwendet) verrühren. Die Startermischung hinzufügen und umrühren. Als nächstes fügen Sie die geschmolzene Butter hinzu und rühren noch einmal um, aber gerade so viel, dass keine trockenen Mehlstückchen zurückbleiben.
Das Eiweiß verquirlen oder mit einem Handmixer schlagen, bis sich steife Spitzen bilden, und dann unter den Teig heben.
Gießen Sie ¼ Tasse Teig pro Pfannkuchen in eine erhitzte und gefettete Pfanne oder Pfanne und kochen Sie ihn etwa 3 Minuten lang. Drehen Sie die Pfannkuchen um und backen Sie die zweite Seite, bis sie fertig sind (ca. 2 Minuten).
Die Anzahl der Pfannkuchen variiert je nach Größe der einzelnen Pfannkuchen

72. Schnelle Pfannkuchen

2 Tassen ungebleichtes Allzweckmehl
2 EL Kristallzucker
2 TL. Backpulver
1 Teelöffel. Backpulver
½ TL. Salz
1½ Tassen Milch
1 Tasse frisch gefütterter Starter
1 Ei, geschlagen
2 T. Öl

Mehl, Zucker, Backpulver, Natron und Salz verrühren. Milch, Sauerteig, Ei und Öl hinzufügen und vorsichtig vermischen.

Gießen Sie ¼ Tasse Teig pro Pfannkuchen in eine erhitzte und gefettete Pfanne oder Pfanne und kochen Sie ihn etwa 3 Minuten lang. Drehen Sie die Pfannkuchen um und backen Sie die zweite Seite, bis sie fertig sind (ca. 2 Minuten).

Mit Butter, Sirup oder Marmelade servieren.

Ergibt 12 bis 16 Pfannkuchen

73. Schnelle Waffeln

1 Tasse Starter oder wegwerfen
⅔ Tasse Milch
2 T. Öl
1 T. Kristallzucker
2 Eier
1 Tasse ungebleichtes Allzweckmehl
1 Teelöffel. Backpulver
Heizen Sie Ihr Waffeleisen vor.
In einer mittelgroßen Rührschüssel die Vorspeise, Milch, Öl, Zucker und Eier hinzufügen. gut mischen.
Mehl und Backpulver verquirlen und in die Startermischung einrühren. Fügen Sie bei Bedarf noch etwas Milch oder Mehl hinzu, um die richtige Teigkonsistenz zu erhalten.
Befolgen Sie die Anweisungen, die Ihrem Waffeleisen beiliegen, gießen Sie den Teig in Ihr Waffeleisen und kochen Sie ihn. Sofort servieren, garniert mit Butter, Sirup, Marmelade usw.
Die Mengen variieren je nach Waffeleisengröße, die Sie verwenden, aber ich erhalte 5 Waffeln pro Portion

74. Roggenpfannkuchen

480 g. aktiver Anlasser
1 Ei, geschlagen
120 g. Milch
30 g. Butter, geschmolzen und leicht abgekühlt
25 g. Kristallzucker
6 g. Salz
115 g. Roggenmehl
Ungebleichtes Allzweckmehl nach Bedarf
½ TL. Backpulver in 1 T Wasser aufgelöst
In einer mittelgroßen Rührschüssel Starter, Ei, Milch, Butter, Zucker und Salz gut verrühren. Das Roggenmehl hinzufügen und erneut umrühren; Fügen Sie so viel Allzweckmehl hinzu, dass die gewünschte Konsistenz des Pfannkuchenteigs erreicht ist. Gründlich vermischen, damit keine Klumpen im Teig entstehen. Unmittelbar vor dem Kochen das aufgelöste Natron dazugeben und nochmals gründlich verrühren.
Gießen Sie ¼ Tasse Teig pro Pfannkuchen in eine erhitzte und gefettete Pfanne oder Pfanne und kochen Sie ihn etwa 3 Minuten lang. Drehen Sie die Pfannkuchen um und backen Sie die zweite Seite, bis sie fertig sind (ca. 2 Minuten).
Mit Butter, Sirup, Marmelade oder gesüßtem Apfelmus servieren.
Ergibt 10 bis 12 Pfannkuchen

75. Wurst- und Sauerteigbrotschichten

4 Tassen Sauerteigbrot, gewürfelt
1 Pfund Frühstückswurst oder italienische Wurst, gekocht und zerbröckelt
2 Tassen scharfer Cheddar-Käse, gerieben (wenn Sie einen Block Käse kaufen und ihn selbst zerkleinern, ist der Käse schmelziger)
12 Eier
2¼ Tassen Milch
2 TL. trockener gemahlener Senf
1 Teelöffel. Salz
½ TL. gemahlener Pfeffer
Stellen Sie die Schichten am Vorabend zusammen, damit Sie sie morgens backen können. Dieses Rezept verwendet Sauerteigbrot und eignet sich hervorragend zum Verwerten von Brotresten.
Die Nacht davor:
Eine 9 × 13 Zoll große Auflaufform einfetten oder mit Butter bestreichen. Brotwürfel und Brühwurst vermischen und gleichmäßig auf dem Pfannenboden verteilen. Anschließend den geriebenen Käse gleichmäßig über die Wurst und das Brot streuen. In einer mittelgroßen Rührschüssel Eier, Milch, trockenen Senf, Salz und Pfeffer verrühren, bis alles gut vermischt ist. Die Eiermischung über die Brotwürfel, die Wurst und den Käse gießen. Decken Sie die Auflaufform mit Aluminiumfolie ab und falten Sie die Ränder zusammen, damit sie fest sitzt. Über Nacht kühl stellen.
Am nächsten Tag:
Nehmen Sie die Schichten aus dem Kühlschrank, lassen Sie sie abgedeckt und stellen Sie sie auf die Arbeitsfläche, um sie etwas aufzuwärmen (ca. 30 Minuten).
Den Backofen auf 350° vorheizen. Backen Sie die Schichten 30 Minuten lang, immer noch mit der Aluminiumfolie bedeckt; Entfernen Sie die Folie und backen Sie weitere 25 bis 30 Minuten weiter oder bis die Schichten aufgebläht und die Mitte fest ist. In Quadrate schneiden und servieren.
Ergibt 8 bis 12 Quadrate

76. Sauerteigbrot French Toast

Dieses Rezept eignet sich hervorragend, um übrig gebliebenes Sauerteigbrot zu verwerten, das altbacken ist.

4 Eier

½ Tasse Milch

Salz und Pfeffer nach Geschmack

8 dicke Scheiben Sauerteigbrot

Butter zum Kochen

In einer Schüssel mit flachem Boden, z. B. einer Tortenplatte aus Glas oder einer Auflaufform, die Eier, die Milch sowie Salz und Pfeffer verrühren, bis alles gut vermischt ist. (Sie können die Zutaten auch mit einem Mixer vermischen.) Geben Sie die Sauerteigbrotscheiben hinzu und lassen Sie sie mit der Eimasse aufsaugen.

Etwas Butter in einer Pfanne oder Grillplatte bei mittlerer Hitze schmelzen; Fügen Sie die eingeweichten Brotscheiben hinzu und kochen Sie sie einige Minuten lang oder bis die Unterseite goldbraun ist. Drehen Sie den French Toast um und backen Sie die zweite Seite, bis er fertig und goldbraun ist. Achten Sie sorgfältig auf die Temperatur, damit der French Toast nicht anbrennt oder zu dunkel wird, bevor er gar ist.

Pur oder mit Butter, Puderzucker oder Ahornsirup servieren.

Ergibt 8 Scheiben

77. Kröte im Loch

Butter zum Bestreichen, Zimmertemperatur
6 Scheiben dick geschnittenes Sauerteigbrot mit einem Loch in der Mitte, etwa 10 cm im Durchmesser (oder verwenden Sie einen Keksausstecher)
6 Eier
Salz und Pfeffer nach Geschmack
Beide Seiten der Brotscheiben mit Butter bestreichen.
Legen Sie das Brot auf eine vorgeheizte Pfanne. Bei mittlerer bis niedriger Hitze kochen, bis die Unterseiten goldbraun und geröstet sind. Drehen Sie das Brot um und schlagen Sie ein Ei in das Loch jedes Brotstücks. Nach Belieben mit Salz und Pfeffer bestreuen (oder beim Servieren am Tisch salzen und pfeffern). Decken Sie die Pfanne ab und kochen Sie, bis das Eiweiß fest ist. Bei Bedarf können Sie die Toaststücke schnell auf die erste Seite wenden, um die Eier etwas fester zu garen.
Für 6 Personen

78. Vollkornpfannkuchen

2½ Tassen Vollkornmehl (Vollkorngebäckmehl ergibt einen etwas leichteren und lockereren Pfannkuchen, ist aber nicht notwendig)
2 Tassen Milch
1 Tasse Vorspeise
2 T. Öl
2 Eier
¼ Tasse Zucker
2 TL. Backpulver
1 Teelöffel. Salz

In einer großen Rührschüssel Mehl, Milch, Sauerteig und Öl vermischen, bis eine glatte, aber nicht glatte Masse entsteht. Lassen Sie es 30 Minuten lang bei Raumtemperatur ruhen.

Eier, Zucker, Backpulver und Salz hinzufügen und erneut verrühren. Wenn ein paar Klumpen übrig bleiben, ist das in Ordnung.

Gießen Sie ¼ Tasse Teig pro Pfannkuchen in eine erhitzte und gefettete Pfanne oder Pfanne und kochen Sie ihn etwa 3 Minuten lang. Drehen Sie die Pfannkuchen um und backen Sie die zweite Seite, bis sie fertig sind (ca. 2 Minuten).

Die Anzahl der Pfannkuchen variiert je nach Größe der einzelnen Pfannkuchen

ROGGENSAUERTEIG

79. Roggenbrot

Zutaten

- ¾ Tasse (200 ml) Wasser, Raumtemperatur
- 2 Tassen (200 g) fein gemahlenes Roggenmehl
- ½ Tasse (100 g) geriebener Apfel, geschält

Richtungen

a) Die Zutaten vermischen und 2–4 Tage in einem Glasgefäß mit dicht schließendem Deckel stehen lassen. Morgens und abends einrühren.

b) Der Starter ist fertig, wenn die Mischung zu sprudeln beginnt. Ab diesem Zeitpunkt müssen Sie den Teig nur noch „füttern", damit er seinen Geschmack und seine Gärfähigkeit behält. Wenn Sie den Sauerteig im Kühlschrank lassen, sollten Sie ihn einmal pro Woche mit ½ Tasse (100 ml) Wasser und 1 Tasse (100 g) Roggenmehl füttern. Wenn Sie den Sauerteig bei Zimmertemperatur aufbewahren, sollte er jeden Tag auf die gleiche Weise gefüttert werden. Die Konsistenz sollte einem dicken Brei ähneln.

c) Wenn Sie noch Sauerteig übrig haben, können Sie ihn in Behältern für eine halbe Tasse einfrieren oder einen Teil davon trocknen lassen.

80. Levain

Ergibt 2 Brote

Zutaten

Tag 1

- 3½ oz. (100 g) Weizensauerteig
- 1 Tasse (200 ml) Wasser, Raumtemperatur
- 1¼ Tasse (150 g) Weizenmehl
- ½ Tasse (50 g) ungemischtes Roggenmehl (also Mehl ohne Weizen) Alle Zutaten gut vermischen.

Tag 2

- 2 Tassen (450 ml) Wasser, Raumtemperatur
- 6 Tassen (750 g) Weizenmehl 4 Teelöffel (20 g) Meersalz

Richtungen

a) Den Teig in eine Schüssel geben und mit Frischhaltefolie abdecken. Bewahren Sie es über Nacht im Kühlschrank auf.

b) Wasser und Mehl zum Teig hinzufügen. Gut durchkneten. Salz hinzufügen. Den Teig weitere 2 Minuten kneten.

c) 1 Stunde gehen lassen und dann vorsichtig zwei Brote formen.

d) Lassen Sie die Brote 45 Minuten lang unter einem Tuch gehen.

e) Anfängliche Ofentemperatur: 525 °F (280 °C)

f) Die Brote in den Ofen schieben. Streuen Sie eine Tasse Wasser auf den Boden des Ofens. Die Temperatur auf 230 °C reduzieren und 30 Minuten backen.

g) Den Teig vorsichtig auf eine bemehlte Fläche gießen. Teilen Sie es in zwei Teile.

h) Den Teig vorsichtig falten.

i) Den Teig vorsichtig in zwei längliche Laibe formen.

81. Roggen-Ciabatta

Ergibt etwa 10 Brote

Zutaten

- 7 Unzen. (200 g) Weizensauerteig
- ½ Tasse (50 g) feines Roggenmehl
- 4 Tassen (500 g) Weizenmehl
- ca. 1⅔ Tassen (400 ml) Wasser, Raumtemperatur
- ½ Esslöffel (10 g) Salz
- Olivenöl für die Schüssel

Richtungen

a) Alle Zutaten bis auf das Salz vermischen und gut durchkneten. Salz hinzufügen.

b) Den Teig in eine gefettete Rührschüssel geben. Mit Plastikfolie abdecken und den Teig über Nacht im Kühlschrank stehen lassen.

c) Am nächsten Tag den Teig vorsichtig auf einen Backtisch gießen.

d) Falten Sie den Teig und lassen Sie ihn etwa 5 Stunden lang im Kühlschrank ruhen. Falten Sie den Teig jede Stunde erneut.

e) Den Teig auf den Tisch gießen. Schneiden Sie es in etwa 10 x 15 cm große Stücke und legen Sie diese auf ein gefettetes Backblech. Lassen Sie sie weitere 10 Stunden im Kühlschrank gehen. Aus diesem Grund dauert die Herstellung dieses Brotes etwa 2 Tage.

f) Anfängliche Ofentemperatur: 475 °F (250 °C)

g) Legen Sie die Brote in den Ofen. Streuen Sie eine Tasse Wasser auf den Boden des Ofens. Reduzieren Sie die Temperatur auf 210 °C (400 °F) und backen Sie es etwa 15 Minuten lang.

h) Den Teig falten und etwa 5 Stunden im Kühlschrank ruhen lassen. Wiederholen Sie das Falten in dieser Zeit einmal pro Stunde.

i) Den Teig auf die bemehlte Fläche legen und ausrollen.

j) Schneiden Sie den Teig in etwa 10 x 15 cm große Stücke.

82. Französisches Bauernbrot

Machen Sie 1 Laib

Zutaten

- 2 Tassen (500 ml) Wasser, Raumtemperatur
- 5 Tassen (600 g) Weizenmehl
- 2 Tassen (200 g) Dinkelmehl, gesiebt
- 4½ oz. (125 g) Weizensauerteig-Starter
- 4½ oz. (125 g) Roggensauerteig
- 1½ Esslöffel (25 g) Salz-Olivenöl für die Schüssel

Richtungen

a) Alle Zutaten bis auf das Salz verrühren, bis ein glatter Teig entsteht.

b) Wenn der Teig gut geknetet ist, fügen Sie das Salz hinzu. Noch ein paar Minuten weiterkneten. Den Teig in eine mit Öl bestrichene Rührschüssel geben und mit einem Tuch abdecken.

c) Den Teig etwa 2 Stunden gehen lassen.

d) Den Teig auf einen bemehlten Tisch geben und zu einem länglichen Laib formen. Lassen Sie es etwa 40 Minuten gehen.

e) Anfängliche Ofentemperatur: 525 °F (270 °C)

f) Legen Sie das Brot in den Ofen und streuen Sie eine Tasse Wasser auf den Boden des Ofens. Reduzieren Sie die Temperatur auf 230 °C.

g) Etwa 30 Minuten backen.

83. Haselnussbrot

Ergibt 2 Brote

Zutaten

- 2 Tassen (500 ml) Wasser, Raumtemperatur
- 16 Unzen. (450 g) Roggensauerteigstarter
- 3¾ Tassen (450 g) Weizenmehl
- 2¼ Tassen (225 g) Dinkelmehl, gesiebt
- 2¼ Tassen (225 g) feines Roggenmehl
- 1½ Esslöffel (25 g) Salz
- 2½ Tassen (350 g) ganze Haselnüsse
- Olivenöl für die Schüssel

Richtungen

a) Alle Zutaten außer Salz und Nüssen vermischen. Den Teig gut durchkneten.

b) Salz und Nüsse hinzufügen und unter den Teig kneten.

c) Den Teig in eine mit Öl bestrichene Plastikschüssel geben und etwa 3 Stunden gehen lassen.

d) Den Teig trennen, in zwei Laibe formen und diese auf ein gefettetes Backblech legen. Etwa eine weitere Stunde gehen lassen.

e) Anfängliche Ofentemperatur: 525 °F (270 °C)

f) Legen Sie die Brote in den Ofen und reduzieren Sie die Temperatur auf 230 °C.

g) Die Brote 30–40 Minuten backen.

84. Russisches süßes Brot

Ergibt 1 Laib

Zutaten

- 26½ oz. (750 g) Roggensauerteigstarter
- 1¼ Tasse (300 ml) Wasser, Raumtemperatur
- 3½ Teelöffel (20 g) Salz
- 1 Esslöffel (10 g) Kümmel
- 2½ Tassen (300 g) Weizenmehl
- 3 Tassen (300 g) Dinkelmehl, gesiebt

Richtungen

a) Die Zutaten vermischen und kneten, bis der Teig glatt ist. Unter einem Tuch 1 Stunde gehen lassen.

b) Den Teig zu einem großen, runden Laib formen. Auf ein gefettetes Backblech legen und mit einem Tuch abdecken.

c) Den Teig 1–2 Stunden gehen lassen.

d) Bevor Sie den Teig in den Ofen schieben, bestäuben Sie ihn mit Mehl. Im Ofen bei 210 °C (400 °F) etwa 40–50 Minuten backen.

85. Dänisches Roggenbrot

Ergibt 3 Brote

Zutaten

Tag 1

- 2 Tassen (500 ml) Wasser, Raumtemperatur
- 3 Tassen (300 g) Vollkorn-Roggenmehl
- 1 Unze. (25 g) Roggensauerteig

Tag 2

- 4 Tassen (1 Liter) Wasser, Zimmertemperatur
- 8 Tassen (800 g) Vollkorn-Roggenmehl
- 2 Tassen (250 g) Vollkornmehl
- 2 Esslöffel (35 g) Salz
- 4½ oz. (125 g) Sonnenblumenkerne
- 4½ oz. (125 g) Kürbiskerne
- 2½ oz. (75 g) ganze Leinsamen

Richtungen

a) Die Zutaten gut vermischen und über Nacht bei Zimmertemperatur stehen lassen.

b) Den Teig vom Vortag mit den neuen Zutaten vermischen. Etwa 10 Minuten lang gründlich vermischen.

c) Teilen Sie den Teig in drei 8 × 4 × 3 Zoll (1½ Liter) große Kastenformen. Die Pfannen sollten nur zu zwei Dritteln gefüllt sein. An einem warmen Ort 3–4 Stunden gehen lassen.

d) Anfängliche Ofentemperatur: 475 °F (250 °C)

e) Stellen Sie die Pfannen in den Ofen und reduzieren Sie die Temperatur auf 180 °C. Streuen Sie eine Tasse Wasser auf den Boden des Ofens. Die Brote 40–50 Minuten backen.

f) Tag 2: Die restlichen Zutaten mit der Vorspeise vermischen.

g) Den Teig etwa 10 Minuten lang gut durchrühren.

h) Geben Sie den Teig in eine 8 × 4 × 3 Zoll große Kastenform (1 1/2 Liter). Füllen Sie die Pfanne nicht mehr als zwei Drittel bis zum Rand. Gehen lassen, bis der Teig den Rand der Form erreicht hat.

86. Walnussbrot

Ergibt 1 Laib

Zutaten

- 2 Tassen (500 ml) Wasser, Raumtemperatur
- 14 Unzen. (400 g) Roggensauerteig
- 4 Tassen (400 g) ungemischtes Roggenmehl (also ohne Weizenmehl)
- 4 Tassen (500 g) Weizenmehl
- 14 Unzen. (400 g) ganze Walnüsse
- 3½ Teelöffel (20 g) Salz
- Olivenöl für die Schüssel

Richtungen

a) Alle Zutaten bis auf die Walnüsse und das Salz vermischen. Kneten, bis der Teig glatt ist.

b) Sobald der Teig gut geknetet ist, Salz und Walnüsse hinzufügen. Noch ein paar Minuten weiterkneten.

c) Anschließend den Teig in eine geölte Rührschüssel geben und mit einem Tuch abdecken.

d) Den Teig etwa 2 Stunden gehen lassen.

e) Legen Sie den Teig auf eine bemehlte Fläche und formen Sie ihn zu einem runden Laib. Auf einem gefetteten Backblech etwa 30 Minuten gehen lassen.

f) Anfängliche Ofentemperatur: 475 °F (250 °C)

g) Legen Sie das Brot in den Ofen und streuen Sie eine Tasse Wasser auf den Boden des Ofens. Reduzieren Sie die Temperatur auf 230 °C.

h) Das Brot etwa 30 Minuten backen.

i) Sobald der Teig gut geknetet ist, Salz und Walnüsse hinzufügen. Nochmals einige Minuten kneten.

j) Nachdem der Teig aufgegangen ist, schneiden Sie ihn in zwei Stücke.

k) Die Stücke auf dem Backblech leicht flach drücken.

87. Dinkelbrot mit Orange

Ergibt 1 Laib

Zutaten

Schritt 1

- ½ einer normalgroßen Orange

Schritt 2

- Orangenschalenstücke
- 7 Unzen. (200 g) Roggensauerteig
- 1 Tasse (200 ml) Wasser, Raumtemperatur
- ½ Esslöffel (10 g) Salz 1 Teelöffel (5 g) Fenchel
- ca. 6–7 Tassen (600–700 g) Dinkelmehl, gesiebt

Richtungen

a) Die Orange schälen. Die Schale einige Minuten in Wasser köcheln lassen. Aus dem Wasser nehmen und etwas abkühlen lassen.

b) Mit einem Löffel den weißen Teil an der Innenseite der Schale abkratzen. Die Schale in kleine Stücke schneiden.

c) Alle Zutaten vermischen, aber die letzten paar Tassen Mehl langsam hinzufügen. Dinkelmehl nimmt Flüssigkeit nicht so gut auf wie normales Weizenmehl. Gut durchkneten.

d) Den Teig etwa 30 Minuten gehen lassen.

e) Den Teig zu einem runden Laib formen und auf ein gefettetes Backblech legen. Lassen Sie den Teig gehen, bis er sein Volumen verdoppelt hat; Dies kann bis zu ein paar Stunden dauern.

f) Bei 200 °C etwa 25 Minuten backen.

g) Bestreichen Sie das Brot mit Wasser, nachdem Sie es aus dem Ofen genommen haben.

88. Anisbrot

Ergibt 1 Laib

Zutaten

- 3 Tassen (300 g) fein gemahlenes Roggenmehl
- 2½ Tassen (250 g) Dinkelmehl, gesiebt
- 10½ oz. (300 g) Roggensauerteig
- ½ Esslöffel (10 g) Salz
- 4 Teelöffel (20 g) Rohzucker
- 1¼ Tasse (300 ml) Bier mit niedrigem Alkoholgehalt, Zimmertemperatur
- ½ Unze. (15 g) zerstoßener Anis
- 1¾ oz. (50 g) Leinsamen

Richtungen

a) Mische alle Zutaten. Der Teig wird ziemlich klebrig sein. Bei Zimmertemperatur ca. 1 Stunde ruhen lassen.

b) Bemehlen Sie Ihre Hände leicht und kneten Sie den Teig vorsichtig. Den Teig zu einem großen, runden Brötchen formen und auf ein gefettetes Backblech legen.

c) Lassen Sie das Brot gehen, bis es sein Volumen verdoppelt hat. Dies kann einige Stunden dauern.

d) Anfängliche Ofentemperatur: 450 °F (230 °C)

e) Legen Sie das Brot in den Ofen und streuen Sie eine Tasse Wasser auf den Boden. Die Temperatur auf 180 °C reduzieren und 45–55 Minuten backen.

89. Sonnenblumenbrot

Ergibt etwa 15–20 Rollen

Zutaten

- 1¾ Teelöffel (5 g) frische Hefe
- 1¼ Tasse (300 ml) Wasser, Raumtemperatur
- 3 Tassen (300 g) fein gemahlenes Roggenmehl
- 2½ Tassen (300 g) Weizenmehl
- 7 Unzen. (200 g) Roggensauerteig
- 1 Esslöffel (15 g) Salz
- 3 Esslöffel (50 g) Honig
- ⅔ Tasse (150 ml) Sonnenblumenkerne
- 1 Esslöffel (10 g) Kreuzkümmel

Richtungen

a) Lösen Sie die Hefe in etwas Wasser auf. Alle Zutaten hinzufügen und gut vermischen.

b) Den Teig an einem warmen Ort gehen lassen, bis er sein Volumen verdoppelt hat. Dies dauert 1–2 Stunden.

c) Aus dem Teig fünfzehn bis zwanzig kleine Rollen formen. Legen Sie sie auf ein gefettetes Backblech und lassen Sie sie an einem warmen Ort gehen, bis sich ihr Volumen verdoppelt hat.

d) Bei 180 °C etwa 10 Minuten backen.

e) Den Teig nach dem Aufgehen kneten und zu einer länglichen Rolle formen.

f) Den Teig in fünfzehn bis zwanzig Stücke schneiden.

g) Zu runden Broten formen und auf einem Backblech aufgehen lassen, bis sich das Volumen verdoppelt hat.

90. Bier Brot

Ergibt 2 Brote

Zutaten

- ca. 1¼ Tasse (300 ml) Bier, Zimmertemperatur
- 7 Teelöffel (20 g) frische Hefe
- 1 Esslöffel (15 g) Salz
- 16 Unzen. (450 g) Roggensauerteigstarter
- 5½ Tassen (700 g) Vollkornmehl

Richtungen

a) Alle Zutaten bis auf das Mehl vermischen. Das Mehl nach und nach hinzufügen und gut vermischen. Geben Sie nicht das ganze Mehl auf einmal hinzu; Testen Sie den Teig, um sicherzustellen, dass er elastisch ist, bevor Sie weiteres Mehl hinzufügen.

b) Gut durchkneten.

c) Den Teig etwa 15 Minuten ruhen lassen. Gut durchkneten.

d) Aus dem Teig zwei Laibe formen und auf einem gefetteten Backblech gehen lassen, bis sich das Volumen etwa verdoppelt hat. Etwas Mehl über das Brot streuen.

e) Anfängliche Ofentemperatur: 475 °F (250 °C)

f) Legen Sie die Brote in den Ofen und streuen Sie eine Tasse Wasser auf den Boden. Senken Sie die Temperatur auf 400 °F (200 °C).

g) Das Brot etwa 45 Minuten backen.

91. Knuspriges Roggenbrot

Ergibt etwa 20 Cracker

Zutaten

- 17½ oz. (500 g) Roggensauerteig aus Vollkorn-Roggenmehl
- 17½ oz. (500 g) Weizensauerteig-Starter
- 5 Tassen (500 g) feines Roggenmehl
- ½ Esslöffel (10 g) Salz

Richtungen

a) Die Zutaten gut vermischen und den Teig etwa 2 Stunden gehen lassen.

b) Den Teig so dünn wie möglich ausrollen. In Cracker schneiden und auf ein gefettetes Backblech legen. Mit einer Gabel einstechen, damit das Brot keine Blasen wirft.

c) Lassen Sie die Cracker 2–3 Stunden gehen.

d) Bei 210 °C etwa 10 Minuten backen.

92. Leckeres knuspriges Brot

Ergibt 15 Cracker

Zutaten

- ½ Unze. (10 g) frische Hefe
- 1⅔ Tassen (400 ml) kaltes Wasser
- 3½ oz. (100 g) Roggensauerteig
- 3½ oz. (100 g) Weizensauerteig
- 3 Tassen (300 g) Vollkornroggenmehl
- 4¼ Tassen (550 g) Weizenmehl
- 1 Esslöffel (15 g) Salz
- ½ Unze. (15 g) Anis-Meersalz zum Garnieren

Richtungen

a) Die Hefe im Wasser auflösen und mit dem Sauerteig vermischen. Das Mehl hinzufügen und gründlich verkneten. Den Teig etwa 15 Minuten ruhen lassen.

b) Salz und Anis hinzufügen und den Teig noch einmal kneten. In eine mit Plastikfolie abgedeckte Schüssel geben. Lassen Sie es über Nacht im Kühlschrank gehen.

c) Am nächsten Tag den Teig in fünfzehn Stücke schneiden. Jedes Teigstück ausrollen, bis ein dünner Cracker entsteht. Damit der Teig nicht klebt, das Nudelholz leicht bemehlen. Drehen Sie den Cracker gelegentlich um, um sicherzustellen, dass Sie den Teig richtig verteilen.

d) Legen Sie die Cracker auf ein mit Backpapier ausgelegtes Backblech. Stechen Sie sie mit einer Gabel ein. Je nach Geschmack mit etwas Meersalz bestreuen.

e) Backen Sie die Cracker 15 Minuten lang bei etwa 210 °C. Lassen Sie die Cracker auf einem Kühlregal trocknen.

f) Den Teig zu Rollen formen und in fünfzehn Stücke schneiden.

g) Rollen Sie jedes Teigstück zu einer dünnen Waffel. Den Teig leicht mit Mehl bestreichen, damit er nicht am Nudelholz kleben bleibt.

h) Die Cracker mit einer Gabel einstechen. Mit Meersalz bestreuen und auf ein mit Backpapier ausgelegtes Blech legen.

93. Dünne Cracker

Ergibt 6–8 große Cracker

Zutaten

- ¾ Tasse (200 ml) fettreicher Joghurt
- 7 Unzen. (200 g) Roggensauerteig
- 2 Teelöffel (15 g) Honig
- ½ Esslöffel (10 g) Salz
- 4 Tassen (500 g) Weizenmehl

Richtungen

a) Alle Zutaten vermischen und den Teig gründlich durchkneten.

b) Den Teig in sechs bis acht runde Stücke schneiden. Rollen Sie die Stücke zu dünnen Waffeln. Bemehlen Sie die Oberfläche und den Teig leicht, damit der Teig nicht festklebt. Die Cracker auf ein gefettetes Backblech legen und mit einer Gabel einstechen.

c) Backen Sie die Cracker etwa 10 Minuten lang bei 220 °C (430 °F). Lassen Sie sie auf einem Kühlregal trocknen.

d) Rollen Sie den Teig zu einem langen Zylinder und schneiden Sie ihn in sechs bis acht Stücke.

e) Den Teig so dünn wie möglich ausrollen.

f) Mit einer Gabel einstechen.

94. Kartoffelbrot

Ergibt 1 Laib

Zutaten

Schritt 1 (Vorteig)

- 1 Portion Kartoffelsauerteig
- 2 Tassen (250 g) Weizenmehl
- 1¾ oz. (50 g) Hagebuttenschalen

Schritt 2

- ¾ Tasse (200 ml) Wasser, Raumtemperatur
- ½ Esslöffel (10 g) Salz
- ½ Tasse (50 g) fein gemahlenes Roggenmehl
- 2 Tassen (200 g) Dinkelmehl, gesiebt

Richtungen

a) Sauerteig und Mehl vermischen und etwa 8 Stunden im Kühlschrank stehen lassen.

b) Die Hagebuttenschalen in einer separaten Schüssel einweichen.

c) Den Vorteig aus dem Kühlschrank nehmen. Fügen Sie die oben aufgeführten Zutaten sowie die abgetropften Hagebuttenschalen hinzu.

d) Den Teig gut durchkneten und zu einem Laib formen. Auf ein gefettetes Backblech legen und unter einem Tuch gehen lassen, bis sich das Volumen verdoppelt hat. Dies kann einige Stunden dauern.

e) Backen Sie das Brot etwa 25 Minuten lang bei 200 °C (400 °F).

DINKELSAUERTEIG

95. Dinkelsauerteig

Ergibt 2 Brote

Zutaten

- 35 Unzen. (1 kg) Dinkelsauerteigstarter
- 1 Esslöffel (15 g) Salz
- 3 Esslöffel (25 g) frische Hefe
- 2½ Esslöffel (35 ml) Melassesirup (kann durch dunklen Sirup ersetzt werden)
- ½ Tasse (100 ml) Wasser, Raumtemperatur
- 6 Tassen (625 g) feines Roggenmehl
- 1¾ Tasse (225 g) Weizenmehl

Richtungen

a) Zutaten gut vermischen und ca. 30 Minuten gehen lassen.
b) Vorsichtig zwei längliche Brote formen und mit Mehl bestäuben. Lassen Sie das Brot gehen, bis sich die Größe der Brote verdoppelt hat (wenn möglich in einem Korb gehen lassen).
c) Anfängliche Ofentemperatur: 475 °F (250 °C)
d) Legen Sie die Brote in den Ofen und streuen Sie eine Tasse Wasser auf den Boden des Ofens. Reduzieren Sie die Temperatur auf 375 °F (195 °C).
e) Etwa 30 Minuten backen.

96. Dinkel-Roggen-Sauerteigbrot

Zutaten:
300g Dinkelmehl
100g Roggenmehl
100g Brotmehl
350g Wasser
100g Sauerteigstarter
10g Salz

Richtungen:
In einer großen Rührschüssel Dinkelmehl, Roggenmehl, Brotmehl und Wasser vermischen. Mischen, bis ein zottiger Teig entsteht.
Den Sauerteigansatz und das Salz in die Schüssel geben. Alles vermischen, bis ein zusammenhängender Teig entsteht.
Den Teig auf eine bemehlte Arbeitsfläche geben und etwa 10 Minuten lang kneten. Es sollte ein glatter, elastischer Teig entstehen.
Den Teig in eine gefettete Schüssel geben und mit Frischhaltefolie oder einem Küchentuch abdecken. Lassen Sie es etwa 6–8 Stunden lang bei Zimmertemperatur gehen, oder bis sich sein Volumen verdoppelt hat.
Heizen Sie Ihren Backofen auf 450 °F (230 °C) vor. Wenn Sie einen Dutch Oven haben, stellen Sie ihn ebenfalls zum Vorheizen in den Ofen.
Sobald der Teig aufgegangen ist, auf eine bemehlte Fläche geben und zu einem runden oder ovalen Laib formen.
Legen Sie den Laib in den vorgeheizten Schmortopf oder auf ein mit Backpapier ausgelegtes Backblech. Die Oberseite des Laibs mit einem scharfen Messer oder einer Rasierklinge einschneiden.
30–35 Minuten backen oder bis die Kruste goldbraun ist und die Innentemperatur des Brotes 93–99 °C (200–210 °F) erreicht.
Nehmen Sie das Brot aus dem Ofen und lassen Sie es vor dem Schneiden mindestens 30 Minuten auf einem Kuchengitter abkühlen.

97. Dinkel-Sauerteig-Bagels

Zutaten:
500g Dinkelmehl
350g Wasser
100g Sauerteigstarter
10g Salz
1 EL Honig
1 Ei, geschlagen
Mohn

Richtungen:
In einer großen Rührschüssel Dinkelmehl und Wasser vermischen. Mischen, bis ein zottiger Teig entsteht.
Sauerteig, Salz und Honig in die Schüssel geben. Alles vermischen, bis ein zusammenhängender Teig entsteht.
Den Teig auf eine bemehlte Arbeitsfläche geben und etwa 10 Minuten lang kneten. Es sollte ein glatter, elastischer Teig entstehen.
Den Teig in eine gefettete Schüssel geben und mit Frischhaltefolie oder einem Küchentuch abdecken. Lassen Sie es etwa 6–8 Stunden lang bei Zimmertemperatur gehen, oder bis sich sein Volumen verdoppelt hat.
Heizen Sie Ihren Backofen auf 450 °F (230 °C) vor.
Sobald der Teig aufgegangen ist, auf eine bemehlte Fläche geben und in 8–10 gleich große Stücke teilen.
Rollen Sie jedes Stück zu einer Kugel und stechen Sie dann mit dem Daumen ein Loch in die Mitte. Dehnen Sie das Loch, bis es einen Durchmesser von etwa 1 bis 2 Zoll hat.
Legen Sie die Bagels auf ein mit Backpapier ausgelegtes Backblech.
Die Oberseite der Bagels mit verquirltem Ei bestreichen und mit Mohn bestreuen.
20–25 Minuten backen oder bis die Bagels goldbraun und durchgebacken sind.
Nehmen Sie die Bagels aus dem Ofen und lassen Sie sie mindestens 30 Minuten auf einem Kuchengitter abkühlen, bevor Sie sie in Scheiben schneiden und servieren.

98. Kartoffelsauerteig

Zutaten

- 2 mittelgroße Kartoffeln, geschält
- 1 Teelöffel Honig
- 1 Esslöffel Dinkelmehl, gesiebt

Richtungen

a) Mischen Sie die Kartoffeln, bis sie Brei ähneln. Honig und Dinkelmehl unterrühren.

b) Bewahren Sie die Mischung in einem Glas mit dicht schließendem Deckel auf. Morgens und abends einrühren.

c) Die Herstellung dieses Sauerteigs dauert normalerweise etwas länger als bei anderen, aber die zusätzliche Zeit lohnt sich auf jeden Fall. Es wird 5–7 Tage dauern, bis es fertig ist.

d) Der Starter ist fertig, wenn die Mischung zu sprudeln beginnt. Ab diesem Zeitpunkt müssen Sie den Teig nur noch „füttern“, damit er seinen Geschmack und seine Gärfähigkeit behält.

99. Linsensauerteig

Zutaten

Tag 1

- ½ Tasse (100 ml) getrocknete grüne Linsen
- ½ Tasse (100 ml) Wasser, Raumtemperatur
- 1 Esslöffel Dinkelmehl, gesiebt

Tag 2

- ½ Tasse (100 ml) Wasser, Raumtemperatur

Richtungen

a) Mischen Sie die Linsen mit einem Stabmixer, bis sie anfangen, Mehl zu ähneln. Wasser und Dinkelmehl hinzufügen.

b) Gießen Sie die Mischung in ein Glas mit dicht schließendem Deckel.

c) Fügen Sie das Wasser hinzu. Gut vermischen und 2–4 Tage im Glas stehen lassen. Morgens und abends einrühren. Der Starter ist fertig, wenn die Mischung zu sprudeln beginnt. Ab diesem Zeitpunkt müssen Sie den Teig nur noch „füttern“, damit er seinen Geschmack und seine Gärfähigkeit behält.

d) Bedecken Sie den Boden eines Glasgefäßes mit Bio-Rosinen. Geben Sie lauwarmes Wasser hinzu, sodass das Glas zu etwa zwei Dritteln gefüllt ist. Mit einem dicht schließenden Deckel sichern.

e) Lassen Sie das Glas etwa 6–7 Tage bei Raumtemperatur stehen, bis sich sichtbare Hefeblasen bilden. Der anfängliche Vorgang kann je nach Raumtemperatur variieren.

f) Rühren Sie die Mischung. In ein luftdichtes Glas geben und 3 Tage bei Zimmertemperatur stehen lassen.

g) Sie können Ihren Sauerteig auch trocknen. Legen Sie ein Blatt Pergamentpapier auf ein Backblech. Mit einer dünnen Schicht Sauerteig (1–2 mm) bedecken. Stellen Sie es in den Ofen und schalten Sie das Ofenlicht ein. Lassen Sie es im Ofen, bis der Sauerteig vollständig getrocknet ist (dies dauert zwischen zwölf und zwanzig Stunden). Dann den trockenen Teig zerkrümeln, in ein Glas geben und mit einem Deckel abdecken. Bewahren Sie das Glas bei Raumtemperatur in einer trockenen Umgebung auf.

h) Wenn Sie zum Backen bereit sind, vermischen Sie ein paar Esslöffel des trockenen Teigs mit 1 Tasse (200 ml) Wasser und 1½ Tassen (200 g) Mehl. Am nächsten Tag erhalten Sie einen „aktivierten Sauerteigstarter“.

100. Olivenbrot

Ergibt 2 Brote

Zutaten

- 10½ oz. (300 g) Dinkelsauerteigstarter
- 6 Tassen (600 g) Dinkelmehl, gesiebt
- 1¼ Tasse (300 ml) Wasser, Raumtemperatur
- 1 Esslöffel Honig
- 1 Esslöffel Salz
- ⅔ Tasse (150 g) entkernte Oliven, vorzugsweise eine Mischung aus grünen und schwarzen Oliven

Richtungen

a) Alle Zutaten bis auf die Oliven vermischen. Durcharbeiten. Der Teig sollte ziemlich „schwach" sein. Den Teig zu einem „Kuchen" mit einem Durchmesser von 30 cm flach drücken. Die Hälfte der Oliven hacken. Die gehackten Oliven dazugeben und die ganzen Oliven untermischen. Den Teig aufrollen und 2–3 Stunden gehen lassen. Den Teig in 2 Stücke schneiden und zu Broten formen. Lassen Sie die Brote noch einmal 20 Minuten gehen.

b) Anfängliche Ofentemperatur: 475 °F (250 °C)

c) Legen Sie das Brot in den Ofen und reduzieren Sie die Temperatur auf 200 °C. Etwa 30–40 Minuten backen.

d) Den Teig über die Oliven falten.

e) Nachdem der Teig 2–3 Stunden lang fermentiert hat, schneiden Sie ihn in zwei Hälften.

f) Das Brot so formen, dass die Olivenmischung entsteht.

ABSCHLUSS

Homestead-Sauerteigrezepte sind eine großartige Möglichkeit, den köstlichen Geschmack von Sauerteigbrot zu genießen, ohne auf handelsübliche Hefe oder Zusatzstoffe angewiesen zu sein. Indem Sie natürliche Zutaten verwenden und sich die Zeit nehmen, den Teig gären zu lassen, können Sie ein nahrhaftes und geschmackvolles Brot backen, das perfekt zu jeder Mahlzeit passt. Egal, ob Sie ein erfahrener Bäcker sind oder gerade erst anfangen, diese Rezepte sind einfach zu befolgen und liefern jedes Mal großartige Ergebnisse. Probieren Sie es einfach einmal aus und erleben Sie die Freude, Ihr eigenes köstliches Sauerteigbrot zu Hause zu backen.

www.ingramcontent.com/pod-product-compliance
Ingram Content Group UK Ltd.
Pitfield, Milton Keynes, MK11 3LW, UK
UKHW031324030225
4424UKWH00019B/157